C000056261

CYMRY LERPWL A'R CYFFINIAU

Cymry Lerpwl a'r Cyffiniau

D. BEN REES

Lluniau o eiddo

JOHN THOMAS

E. EMRYS JONES

ac eraill

CYFROL 1

1997

Cyflwynir y gyfrol hon i goffadwriaeth

Laura Myfanwy Jones

(1890 - 1993)

Calderstones Road, Lerpwl 18

Fe'i ganwyd i deulu Cymraeg yn ninas Lerpwl yn y flwyddyn 1890 a'i bedyddio yng Nghapel y Methodistiaid Calfinaidd Cymraeg Webster Road. Goresgynnodd yr holl anawsterau, a daeth yn athrawes ar ôl hyfforddiant yng Ngholeg y Santes Fair, Bangor, yna'n brifathrawes nodedig ac yn ddiweddarach yn aelod o dîm Awdurdod Addysg Lerpwl fel arolygwr i'r ysgolion. Cafodd Miss L. M. Jones lu o freintiau, sef ei theulu (un o chwech o blant), ei haelodaeth yng Nghapel Heathfield Road ac yn ddiweddarach Bethel, a chael ei chadw i'r oedran teg o gant a thri, a hynny yn ei chartref ei hun. Roedd hi'n berson arbennig, yn meddu ar bersonoliaeth ddengar, garedig, yn hoffus ryfeddol, ac yn gefnogol i fudiadau Cymry'r ddinas. Meddai ar ffydd anorchfygol yn ei Gwaredwr, yr Arglwydd Iesu Grist.

Cymry Lerpwl a'r Cyffiniau

Argraffiad cyntaf 1997

ISBN 0 901332 45 3

℗ D. Ben Rees, 1997

Cedwir pob hawl. Ni chaniateir atgynhyrchu unrhyw ran o'r cyhoeddiad hwn, na'i gadw mewn cyfundrefn adferadwy na'i drosglwyddo mewn unrhyw ddull na thrwy unrhyw gyfrwng electronig, electrostatig, tâp magnetig, mecanyddol, ffotocopïo, recordio nac fel arall, heb ganiatâd ymlaen llaw gan y cyhoeddwyr neu Henaduriaeth Lerpwl, Eglwys Bresbyteraidd Cymru.

Cyhoeddwyd gan Gyhoeddiadau Modern Cymreig Cyf, Lerpwl, Glannau Mersi a Llanddewibrefi, Ceredigion mewn cydweithrediad â Henaduriaeth Lerpwl.

Dymuna'r cyhoeddwyr gydnabod cymorth Adran Olygyddol Cyngor Llyfrau Cymru.

Cynlluniwyd gan Gwmni Cinnamon, Bootle.
Argraffwyd gan Wasg y Sir, y Bala, Gwynedd.

Cynnwys

Blaenoriaid Eglwys Bethel (1983)

Rhes gefn (o'r chwith i'r dde)
J Gwyndaf Richards, y diweddar TM Owen, H Wyn Jones,
Glyn Davies, E Goronwy Owen, Dr John G Williams, J Medwyn Jones,
y diweddar Hugh John Jones

Rhes flaen (o'r chwith i'r dde)
Miss NC Hughes, y diweddar Miss MB Owen, y diweddar Dr R Arthur Hughes,
Dr D Ben Rees, Mrs Bronwen Rogers, y Barnwr JE Jones, W Elwyn Hughes

Rhagair

Y mae Lerpwl wedi cael y teitl 'prifddinas gogledd Cymru', a gellir deall hynny wrth astudio gweithgareddau Cymraeg y ganrif ddiwethaf a dechrau'r ganrif hon. I lawer ohonom y mae'n anodd iawn amgyffred y bwrlwm a berthynai i'r capeli a'r cymdeithasau Cymraeg o'r ddwy ochr i'r afon oherwydd erbyn heddiw y mae llawer o'r canolfannau hyn wedi diflannu neu wedi eu gwerthu i rywrai eraill. A phan euthum ati gyda'r Dr R. Merfyn Jones yn yr wythdegau i gasglu peth o'r hanes a dathlu dauganmlwyddiant cyfraniad Cymry Lerpwl a'r Cyffiniau i'n cenedl, i'r ddinas ac i'n byd, sylweddolais fod yr hyn a gyflawnwyd gennym yn *Cymry Lerpwl a'u Crefydd Fethodistaidd Galfinaidd Gymraeg* a gyhoeddwyd yn 1984, ond yn cyffwrdd â'r hanes.

Soniais am hyn wrth Henaduriaeth Lerpwl o Eglwys Bresbyteraidd Cymru, a sefydlwyd pwyllgor i wyntyllu'r syniad oedd gennyf, o gasglu lluniau a thynnu lluniau o'r adeiladau ac ati a fu'n rhan annatod o fywyd Cymry'r Glannau. Perswadiais E. Emrys Jones, Bae Colwyn, i ddod oddi amgylch y Glannau i dynnu lluniau. Myfi oedd y gyrrwr a'r tywysydd, ac yntau'n defnyddio'r camera. Cawsom hyfrydwch mawr yng nghwmni'n gilydd, a dyledus ydwyf iddo.

Meddyliais y gallwn roi'r cyfan ar gof a chadw o fewn cloriau un gyfrol, ond erbyn hyn sylweddolaf nad oes modd gwneud hynny. Felly y gyfrol gyntaf yw hon; fe ddaw'r llall cyn diwedd y ganrif, a'r pryd hynny bydd braslun ardderchog ar gael o'r gogoniant a fu, a theyrnged haeddiannol i'r rhai fu wrthi'n hau'r had ddoe a heddiw.

Diolch o galon i'r rhai sydd wedi rhoi benthyg lluniau ac i bawb fydd yn pwrcasu'r gyfrol hon, ac yn gofalu fod dipyn o'r hanes ar gael. Ac i bob beirniad, gair caredig iddynt; peidiwch â nodi inni anghofio'r peth hyn a'r peth arall hyd nes i chi weld yr ail gyfrol. Dylid cloriannu'r gyfrol hon ar ei phen ei hun, ac y mae cymaint ar ôl ag a welodd olau dydd. Diolch i Siôn Wyn Morris am ei gydweithrediad gyda'r cynllunio, i Gyngor Llyfrau Cymru am bob cyfarwyddyd, ac i Wasg y Sir, y Bala am argraffu'r gyfrol mor ddestlus.

D. BEN REES

Lerpwl

20 Mai 1996

Y Canrifoedd Cynnar

Y mae gan y Cymry gymaint o hawl i ogledd-orllewin Lloegr ag unrhyw genedl arall, oherwydd fe fu'r Gymraeg ar wefusau unigolion yn y parthau hyn o'r canrifoedd cynnar.

Cafodd yr iaith atgyfnerthiad newydd tua 550 O.C. Gwyddom fod y bardd Taliesin, un o'r beirdd cynharaf, wedi gwasanaethu'r rhanbarth a elwid Rheged (y rhan ohono sy'n cynnwys Cumbria heddiw ac mor bell i'r de â dinas Rochdale), ac Elfed (a fyddai'n cyfateb heddiw i swydd Efrog a rhan fawr o ogledd y canoldir), a hefyd wedi darlunio'n fyw frwydr fawr Caer a ymladdwyd yn 613 neu 615. Roedd Cymry, felly, o amgylch Lerpwl a'r cyffiniau cyn bod sôn am dref Lerpwl, cyn iddi gael ei chreu. Pum mlynedd ar ôl i'r Brenin Ioan roi ei siarter i Lerpwl yn 1207, y mae cyfeiriad ar gael at nifer o filwyr ac anifeiliaid (gwartheg a moch yn bennaf) a anfonwyd o dref Caerhirfryn i Gaer ac oddi yno i Ddeganwy a Chonwy, lle roedd byddin Lloegr mewn trybini ac yn ceisio cadw llygad barcud ar Llywelyn.

Erbyn y drydedd ganrif ar ddeg roedd Lerpwl yn cyfnewid bwyd a phobl gyda phorthladdoedd gogledd Cymru, yn enwedig Conwy a Biwmares, a'r Cymro cyntaf y gwyddom amdano oedd Dafydd ap Gruffydd, a anfonwyd gan y Brenin Harri VII i gadw golwg ar drigolion Lerpwl ac yn bennaf i ofalu eu bod yn talu'r dreth. Cafodd y dasg hon am ei ffyddlondeb i'r brenin, a thalwyd iddo bedair punt ar ddeg y flwyddyn.

Porthladd Lerpwl yn 1836 (darlun o waith yr artist S. Walters)

Gwnaed ef yn faer y fwrdeistref ar ddau achlysur, yn 1503 ac 1515. Ar ei farwolaeth trosglwyddwyd y les i'w weddw, Alis Gruffydd, a'i fab yng nghyfraith, Henry Ackers. Yn les Dafydd sillefir enw'r dref yn *Lyrpwl*, sydd yn ddigon agos i'r modd yr ysgrifennir y gair yn Gymraeg heddiw, sef *Lerpwl*. Roedd y naturiaethwr a'r teithiwr John Leland yn ei sillafu dipyn yn wahanol yn y cyfnod rhwng 1533 a 1539, sef *Lyrpole*. Ond fe ellir dadlau bod dylanwad Cymreig ar y gair *Lyrpwl* trwy ei gymharu â'r gair Cymraeg *Lle'r pwll* (canolbwynt yr hen dref), ond mae'n gwestiwn cwbl agored ac mae'n amlwg y gellir gosod yr enw ochr yn ochr â'r enwau eraill a sillefir fel hyn - *Litherpwl, Liverpoole, Liverpolle, Lyerpwll* a *Leverpoole*, ond i'r person sy'n siarad Cymraeg, *Lerpwl* yn hytrach na *Llynlleifiad* a ddaw yn naturiol i'w sgwrs. Enw gwneud yw hwnnw, a fathwyd gan yr emynydd a'r bardd, Peter Jones (Pedr Fardd, 1775-1841)a fu'n cadw ysgol i ddysgu Cymraeg i blant y Cymry yn Pall Mall.

Y Ddeunawfed Ganrif

Nid Dafydd ap Gruffydd oedd yr unig un o blith y Cymry a fu'n brif ddinesydd y fwrdeistref. Bu John Hughes yn faer yn 1727, Owen Pritchard yn 1744, ac eraill yn Oes Fictoria, ac yn ein dyddiau ni, bu D. J. Lewis (brodor o Aberystwyth) yn faer yn 1962. Pobl o fyd busnes a'r galwedigaethau parchus oedd y rhain. Roedd John Hughes yn gyfrifol am ddiwydiant y crochenydd, ac enillodd yr etholiad i fod yn faer yn erbyn Thomas Brereton. Bu ei dymor yn un cythryblus.

Yr Henadur D. J. Lewis

Y Lerpwl a welodd Humphrey Howell a'i gymrodyr yn 1698 ar eu ffordd i Virginia

Yr oedd Owen Pritchard yn enedigol o Ynys Môn ac yn ffrind a noddwr i un o feirdd y mesurau caeth, Goronwy Owen (1723-1769), a ddaeth yn gurad (ystyr y gair yw 'gofalwr') Eglwys Santes Fair, Walton yn Ebrill 1753. Rhoddwyd iddo swm ychwanegol o £13 er mwyn iddo weithredu fel athro yn y clasuron - ymysg pynciau eraill - yn yr ysgol ramadeg a leolid yn ymyl yr eglwys.

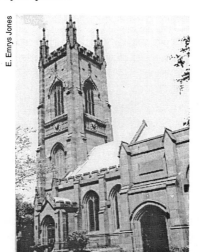

E. Emrys Jones

Eglwys y Plwyf, Walton lle y bu Goronwy Owen yn gurad

Un o'r llongau o borthladdoedd Cymru yn 1680 yn agos at Lerpwl, trwy lygaid yr artist J. McGahey

Bu'r bardd yn ddigon hapus yn Walton, er iddo wneud sylwadau

Dociau cynnar Lerpwl

digon angharedig am y trigolion lleol gan eu cymharu â'r Hottentots, llwyth o bobl na welodd ef erioed mohonynt ond a gyfrifai'n wyllt ac anwaraidd. Byr fu ei dymor yn Walton, ac ymhen dwy flynedd rhoddodd y gorau i ddysgu a phregethu gan gymryd swydd curad yn Northolt ar gyrion Llundain. Cafodd ei siomi yno hefyd ac ymfudodd i Williamsburg, Virginia, lle bu'n gofalu am ystad lle tyfid cotwm a thybaco.

Flynyddoedd cyn i Goronwy Owen gyrraedd yno, anfonid plant ac oedolion o Gymru trwy borthladd Lerpwl i Virginia fel prentisiaid. Digwyddodd hyn yn Hydref 1698, ac yn eu plith yr oedd Humphrey Howell o sir Feirionnydd, John Davies ac Edward Parry o sir Ddinbych, John Wynn o Ruthun a Joyce Cooper o sir Gaernarfon. Gwelais eu henwau ar restr arbennig,

ac mae rhestrau eraill ar gael.

Bu'r ddeunawfed ganrif yn gyfnod pwysig yn y berthynas rhwng Cymru a Lerpwl. Rhoddwyd pwys arbennig ar y fasnach rhwng y fwrdeistref a phorthladdoedd Ynys Môn, yn enwedig Amlwch, Biwmares, Bae Dulas a Moelfre, ac enwi'r pwysicaf. Erbyn 1787 yr oedd chwe deg dau o longau bychan yn hwylio rhwng Amlwch a Lerpwl, yn cario copr o Fynydd Paris ac yn cludo glo o Lerpwl a Runcorn yn ôl i'r ynys.

Deuai nifer fawr o bobl i'r ardal gyda'r llongau hyn, yn enwedig o Ynys Môn, a phenderfynodd llawer ohonynt, gan gynnwys capteiniaid a llongwyr, gartrefu yn y ddinas. Dros y blynyddoedd cafodd morwyr o Fôn y dasg anodd o gludo llongau i'r porthladd, a bu'r peilotiaid hyn wrth y gwaith yn ddi-dor hyd saithdegau ein canrif ni. Gŵr o Laneilian oedd un o'r peilotiaid olaf o Fôn yng ngheg yr afon, sef y diweddar Rothwell Herbert.

Ni ddylem orliwio'r nifer a ymfudodd yn y ddeunawfed ganrif.

E. Emrys Jones

Mynwent o chwarel Sant Iago

Y ffigur am 1773 oedd pedwar ugain; wyth mlynedd yn ddiweddarach roedd y ffigur tua 150, ac erbyn 1790 yr oedd wedi mwy na dyblu i dri chant a hanner.

Dyma ddechrau cyfnod o ymfudo ar raddfa fawr. Daeth y Cymry i chwilio am fywoliaeth a byd gwell, llai llafurus a mwy gwareiddiedig. Yr atyniad oedd yr adeiladu mawr ar lan afon Mersi, ac yn ôl yr atgofion a gyhoeddwyd, yr oedd nifer o Gymry'n gweithio ar Ddoc y Brenin, a gwblhawyd yn 1788, a Doc y Frenhines, a gwblhawyd yn 1796. Yr oedd profiad y rhain fel chwarelwyr, glowyr a llafurwyr wedi eu paratoi ar gyfer y dasg o adeiladu dociau. Cymry oedd rhan helaeth o'r chwarelwyr yn chwarel Sant Iago, a ddaeth yn ddiweddarach yn fynwent, sef y fynwent sydd bellach drws nesaf i'r eglwys gadeiriol Anglicanaidd. Yn y fynwent hon ceir beddau rhai o Gymry mwyaf llwyddiannus y ddinas, fel David Roberts, a drigai gerllaw yn Hope Street ac a fu'n flaenor dylanwadol yn Eglwys Princes Road. Cyflogwyd llawer o Gymry yn ffatri gotwm Ffordd Vauxhall hefyd (rhwng Stryd Migdhall a Banastre), a adwaenid fel Ffatri'r Cymry.

Cartrefu ar y Glannau

Yr oedd Lerpwl yn atyniadol i'r Cymry, ac yn cynnig gwell amodau byw i'r mwyafrif nag a geid yng nghefn gwlad Gwynedd a Chlwyd. Buan y dyrchafwyd y Cymry mwyaf talentog i swyddi pwysig, fel prif

arolygwr Cwmni Dŵr Bootle, prif arolygwr Cwmni'r Hen Chwarel a'r Duke Dock, ac enwi ond ychydig.

Capel Bedford Street

Ymddangosodd y drefedigaeth Gymreig gyntaf o amgylch Capel Pall Mall yn ardal Vauxhall. Yno yr adeiladwyd y capel cyntaf o eiddo'r Methodistiaid Calfinaidd (Presbyteriaid) yn 1787. Dyma'r cyntaf o lawer - o leiaf yn hanes y Methodistiaid Calfinaidd - yn Lerpwl yn unig: ugain o adeiladau, ar wahân i'r neuaddau cenhadol. Daeth Pall Mall yn ganolbwynt, ond yr oedd Cymry wedi cartrefu mewn mannau eraill fel Pitt Street (lle bu'r Chineaid ar ôl hynny), New Bird Street a New Ormond Street hefyd. Roedd yna Fethodistiaid brwdfrydig iawn yn eu plith, a hwy a aethant ati i rentu ystafell yn Jamaica Street fel man cyfarfod, yn erbyn cyngor yr arweinwyr yn Pall Mall. Yr oedd Jamaica Street yr adeg honno ar ffin dinas Lerpwl; y tu hwnt i'r stryd yr oedd caeau ac ychydig dai a ffermydd. Ar 26 Mai 1806 agorwyd yr ail gapel Methodistaidd Calfinaidd yn Bedford Street, ac mewn llythyr a ysgrifennodd Thomas Charles o'r Bala, cychwynnydd mudiad yr ysgolion Sul, at ei ffrind Mrs Astle, dywed:

Yn Lerpwl mae'r gynulleidfa yn niferus. Mynycha miloedd bob tro. Ymysg y Cymry y mae ychwanegu mawr.

Cartrefodd y Cymry o amgylch y capeli o bob enwad a adeiladwyd yn y ddinas, yn debyg iawn i arferiad yr Iddewon o fyw mor agos i'r synagog fel y medrent gerdded yna; roedd yn rhaid i'r capel fod o fewn rhyw filltir i'w cartrefi. Pan ddechreuodd y Cymry fentro dipyn pellach o'r capeli i fyw, aethpwyd ati i godi ysgoldai ar gyfer gwaith yr ysgol Sul, a dyna pam y gwelir o hyd adeilad Milner Road yn Aigburth, a'r capel bach yn ardal St Michael's-in-the-Hamlet.

Ond erbyn rhan olaf y bedwaredd ganrif ar bymtheg yr oedd clwstwr o gapeli yng nghanol y dref, nid yn Pall Mall yn unig bellach, ond hefyd yn Crosshall Street, Abercromby Square (lle ceid capel hardd Chatham), a Salem Grove Street, a dau frawd yn gweinidogaethu yno, sef Henry Rees a William Rees (Gwilym Hiraethog), yn ardal St Annes ac Everton, gan fod capeli ardal y dociau wedi symud i dir uwch bellach, ac i fyd materol gwell. Stori symud allan fu stori'r Cymry - o ganol y ddinas i'r cyrion, o Pall Mall i St Domingo, Anfield, o

Bootle i Waterloo a Walton Park, i ardaloedd Edge Lane, i Smithdown Road ac i gyfeiriad yr enwog Penny Lane, o Princes Road i Belvedere Road. Yr oedd trefedigaethau yno'n barhaol, yn enwedig lle roedd dociau, fel Runcorn a Garston.

Yn yr ugeinfed ganrif, bu yna symud eto, y tro hwn i Wavertree (yn hanes y Bedyddwyr Cymraeg) ac i Allerton (yn hanes yr Annibynwyr Cymraeg, y Presbyteriaid a'r Eglwys Fethodistaidd). Y capel olaf i'w adeiladu yn ne Lerpwl oedd Capel Heathfield Road ar y ffin rhwng Wavertree ac Allerton, yn edrych i lawr Penny Lane. Perthyn i'r dauddegau y mae'r capel mawr hwn (agorwyd ef yn 1927), tra gwelwyd adeiladu dau gapel newydd o ganlyniad i fomio'r ddau Ryfel Byd, yn Stanley Road a Merton Road / Hawthorne Road yn nhref Bootle. Y mae hanes y Cymry ym mhob un o'r trefedigaethau Cymreig ar Lannau Mersi, o Southport i Ellesmere Road ac o West Kirkby i Runcorn / Widnes, yn hanes sydd yn ein clymu'n agos i ogledd Cymru, a Gwynedd yn arbennig. Erbyn 1851 yr oedd 63 y cant o'r Cymry yn Lerpwl yn dod o'r pedair Sir - Môn, Caernarfon, Dinbych a Meirionnydd. Mae'n amlwg fod yma fwy o Gymry o Fôn nag o Arfon ac Eifionydd oherwydd cysylltiadau â'r môr a byd y llongau, a daeth llawer ohonynt ar yr adeg pan oedd y trefydd yn tyfu, fel Penbedw, Wallasey, ac yn enwedig Lerpwl.

Rhwng 1840 a 1880 trodd Lerpwl o fod yn dref i fod yn ddinas, a chafodd rhai o'r Cymry yn y byd adeiladu eu llysenwi'n frenhinoedd ac yn ddugiaid yn eu cymdogaethau.

Owen Elias, Brenin Everton

Adwaenid Owen Elias (1806-1880)- y gellir dadlau iddo sefydlu teyrnas o adeiladwyr - fel Brenin Everton. Yr oedd y gŵr hwn yn byw drws nesaf i Esgob Lerpwl, ac roedd yn un o'r mwyaf o'r tua thri chant o adeiladwyr Cymraeg a fu'n gyfrifol am estyn cortynnau'r dref nes iddi ddod yn ddinas fawr.

Y Cadwynau a Glymodd y Cymry

Daeth y Cymry'n hunanddigonol ac o'r un natur. Clymwyd hwy gyda'i gilydd yn y capel a'r gymuned gapelgar, ac er gwaethaf gwahaniaethau enwadol, roeddent oll yn reit ofalus, yn ddarbodus, ac yn uchelgeisiol dros eu plant. Daeth yr eisteddfod a'r pwyslais ar gystadlu'n boblogaidd fel llwyfan i ymarfer dawn i fagu hyder ac i ddod ymlaen yn y byd. Tra oedd gan y Gwyddel dref Wyddelig o fewn y ddinas, yn ardaloedd Vauxhall a Scotland Road, roedd y Cymry'n dibynnu ar rwydwaith o gapeli trwy'r Glannau i gyd, a dyna asgwrn cefn y bywyd economaidd a'r diwydiant adeiladu.

Daeth David Roberts (1806-1880), a agorodd iard goed yn Fontenoy Street yn 1834 ac yna ehangu i Fox Street, yn brynwr tir gyda'i fab John Roberts a ddaeth yn ddiweddarach yn aelod seneddol. Ymunodd ef â'r cwmni yn 1864. Hwy a brynodd Caeau'r Senedd (Parliament Fields) gan Arglwydd Sefton ac yna, gydag eraill o gyffelyb anian, ei ddatblygu'n drefedigaeth Gymreig. Pobl hirben oedd yr adeiladwyr hyn, yn gweld cyfle godidog i

David Roberts

ehangu ac ymgyfoethogi. Gan amlaf dewisent fyw yn yr ardal yr oeddent am ei datblygu, gan ddechrau ar raddfa fechan drwy ddysgu sgiliau wrth weithio i gwmni Cymreig arall, ac yna ar ôl bwrw eu prentisiaeth byddent yn dechrau eu cwmnïoedd eu hunain mewn partneriaeth ag eraill fu trwy'r un hyfforddiant a phrofiad.

Mab David Roberts, sef John Roberts (1835-1894), awdur Deddf Cau Tafarnau ar y Sul (1881)

Ni chaent fyth broblem i ddod o hyd i labrwyr a chrefftwyr, fel seiri coed, seiri maen a seiri priddfaen; deuai'r rhain trwy gyfundrefn y capeli ymneilltuol. Yn aml deuai gŵr o Lanfairtalhaearn neu ryw ran arall o Gymru i oedfa a thocyn aelodaeth o'i gapel yn ei boced. Cyflwynai'r tocyn hwn i flaenor ar ddiwedd oedfa'r bore neu'r hwyr mewn capel Cymraeg, gan ddatgan ei ddymuniad i gael gwaith. O fewn munudau byddai'r blaenor wedi cael gair ag aelod o'r gynulleidfa a oedd yn adeiladydd (os nad oedd ef ei hun yn adeiladydd), ac ymhen dim byddai'r gŵr ifanc yn cael gwybod lle y dylai fynd i gychwyn gwaith ben bore trannoeth.

Nid oedd angen i adeiladwyr Cymraeg boeni am gyfalaf; roedd Banc Gogledd a De Cymru yn Castle Street yn llawn cydymdeimlad ac yn gefnogol, a hefyd Cymdeithas Adeiladu Chatham, a ddaeth yn gysylltiedig â Chapel Chatham yn nes ymlaen. Yr oedd coed - anghenraid ar gyfer adeiladu tai - ar gael gan David Roberts a chwmnïau eraill, a cherrig o chwareli'r ddinas fel yr un yn Woolton. Pan ddaeth y fricsen roedd yn hawdd cael cyflenwad o Riwabon a Chefn Mawr, a theils o Flaenau Ffestiniog a Dinorwig. Yn fuan iawn ffurfiwyd llawer o gwmnïau gwerthu tai, megis James Venmore a'i gwmni, a Roberts, Edwards a Worrall, ac yn

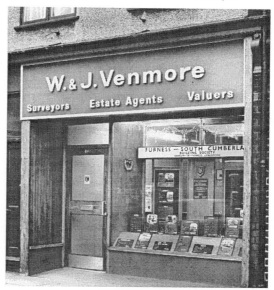

Cwmni Gwerthwyr Tai W. & J. Venmore. Yr oedd y ddau ohonynt yn arweinwyr yng Nghapel MC Anfield Road

ymyl ceid cwmnïau o gyfreithwyr Cymraeg i baratoi'r cytundebau. Yr oedd digon o deuluoedd Cymraeg yn awyddus i brynu a rhentu tai, a bu'r ail a'r drydedd genhedlaeth o deuluoedd rhai o'r adeiladwyr yn byw ar gasglu rhenti o'r tai a adeiladwyd gan eu hynafiaid.

Roedd y cysylltiad rhwng yr adeiladwyr o Gymry, y gweithwyr, y masnachwyr ac eraill o fyd busnes yn dibynnu ar un ffactor: diwylliant Cymraeg y capeli, ac i raddau llai yr eglwysi Anglicanaidd Cymraeg fel Eglwys Sant Asaff, Kirkdale, Eglwys Dewi Sant, a symudodd o ymyl yr Adelphi i Hampstead Road, ac Eglwys Sant Deiniol yn Upper Parliament Street.

Dadleua John Pooley, a astudiodd y Gwyddelod, yr Albanwyr a'r Cymry yng nghanol Oes Fictoria, fod y Cymry yn y trefedigaethau Cymraeg fel Toxteth Park, Everton, Garston, Bootle ac yn y blaen, wedi ffurfio cymuned ethnig yn hytrach na *ghetto*, a bod yna fyd o wahaniaeth rhwng y Gwyddelod a'r grwpiau Celtaidd eraill, yn wir bod yna fyd o wahaniaeth rhwng yr Albanwyr a'r Cymry; roedd yr Albanwyr yn toddi'n gyflymach i'r gymuned Saesneg.

Defnyddiai'r Gwyddelod eu hiaith yn achlysurol ac ar adegau arbennig, tra oedd y Cymry'n awyddus i gadw eu hiaith a'u diwylliant, ac yn credu'n bendant y gellid gwneud hynny trwy dreftadaeth y capel. Nid oedd gan y Gwyddelod yr un brwdfrydedd dros eu diwylliant a'u hiaith, er eu bod yn llawer mwy o genedlaetholwyr na'r Cymry ac yn barod iawn i ddioddef dros y nod o gael senedd i Iwerddon, o Iwerddon Rydd ac Iwerddon Unedig. Roedd bywyd y Gwyddel i

raddau helaeth yn troi o gwmpas y dafarn ar gornel y stryd, tra oedd cadernid y bywyd Cymraeg wedi ei ganoli ar y capeli llewyrchus.

Bywyd y Capeli Cymraeg

Wrth edrych yn fanwl ar fywyd y capeli gwelir nifer o nodweddion. Yn y lle cyntaf, roedd hi'n bosibl i berson fyw trwy'r wythnos yn gyfan gwbl trwy gyfrwng yr iaith Gymraeg. I filoedd o Gymry roedd Lerpwl yn rhan o dir Cymru yn ystod oes aur Ymneilltuaeth Gymraeg, hynny yw rhwng 1860-1939, ac roedd llawer ohonynt yn well eu byd na phe baent wedi aros yn eu mamwlad. Datblygodd diwylliant dosbarth canol, y diwylliant oedd yn benderfynol o gael ffenestri lliw ac organau pib i'r capeli a sefydlu clybiau tennis ar gyfer y bobl ieuainc. Nid dyna oedd natur capeli cefn gwlad Cymru - eisteddfod, cyrddau cystadleuol a darlithiau a geid yno, nid clybiau tennis, badminton a phêl-

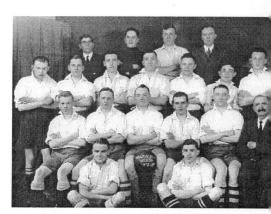

Tim Pêl-droed Capel Heathfield Road (1929-30) gyda Trevor Jones (mab J.W. Jones yr adeiladydd) yn gaptei

droed fel y ceid ymhlith pobl ieuainc capeli Lerpwl yn nauddegau'r ganrif hon. Nodwedd arall o'r parchuso na lwyddwyd i ymryddhau oddi wrtho hyd heddiw oedd y defnydd ffug ar deitlau ffurfiol, galw gwraig yn Mrs Lewis, hyd yn oed yn Adroddiad Blynyddol yr Eglwys, yn Mrs T. J. Lewis, ac yn y blaen, ac yn ei hanes hangladd yn y *Brython* ni cheid yn aml ddim cyfeiriad at ei henw morwynol, dim ond Mrs Lewis neu Mrs Jones. Gwelwn, fel y dangosodd Gareth Miles a D. Tecwyn Lloyd, y Cymry yn tyfu'n fwy *bourgeois*, yn colli cysylltiad uniongyrchol â'u

fel y creodd Cymry Llundain ddosbarth canol Cymraeg yn Nyfed.

Rhaid cydnabod ffaith arall, yr hyn a alwaf yn ddelwedd Cymru ym meddwl a chof y Cymry alltud hyn. Edrychent ar Gymru fel gwlad y gân lle roedd mynd ar grefydd. Gwrandawent yn astud ar y Cymry a ddeuai i bregethu ac i weinidogaethu yn eu plith, a rhoddid iddynt barch llawer mwy nag a geid yn yr hen wlad. Roedd hyn yn sicr yn un rheswm pam yr arhosodd rhai ohonynt yn y ddinas am ddeugain mlynedd a mwy a hwythau'n bregethwyr trwyadl Gymreig.

Alun Macdonald, awdur O Lerpwl i Atlanta

Y Parch D. Gwynfryn Jones

magwraeth wledig, yn gwisgo het bowler ac yn cario ymbarél, ac weithiau'n gwisgo teibow a sgidiau sglein, dillad ffwr, hetiau crand a sidanau, gan ddilyn ffasiwn ddiweddaraf Paris a Llundain. Hwy oedd yn gyfrifol am greu dosbarth canol Cymraeg yng ngogledd Cymru,

Wrth i'r blynyddoedd fynd heibio, ni pheidiai Cymry'r Glannau â dyheu am y Gymru a ddiflannodd. Yn hyn o beth yr oedd tebygrwydd rhyngom a'r Americanwyr Cymreig.

Soniodd y dramodydd Dr John Gwilym Jones am rai o'i dylwyth ei hun yn yr Unol Daleithiau:

ma nhw'n dal i feddwl o hyd am 'steddfoda yn y wlad a phartïon pedwar yn cerdded iddynt nhw hyd lwybra'r mynydd wrth ola' lantar.

Aeth y byd hwnnw ar goll gyda Hedd Wyn, ond ni allai Cymry'r Glannau stumogi'r fath heresi! Wedi'r cyfan, fe dderbyniai'r Cymry faeth ysbrydol a chynhaliaeth ddiwylliannol trwy gyfrwng y capeli hyn a roddai wefr anghyffredin yn y moliant a'r huodledd o'r pulpudau. Cedwid y gymdeithas gyda'i gilydd ar y cychwyn trwy ddisgyblaeth haearnaidd a thrwy'r cymdeithasau crefyddol a diwylliannol. Roedd y teyrngarwch i gymuned glòs yn amlwg, a'r ddisgyblaeth yn cwmpasu holl fywyd y bobl. Cychwynnodd dirwest fel mudiad ymhlith Cymry Lerpwl, ac fe'i hatgyfnerthwyd gan ddigwyddiadau crefyddol tridegau'r bedwaredd ganrif ar bymtheg, a hefyd gan ymdrechion Robert Herbert Williams (Corfanydd, 1805-1876), siopwr yn Basnett Street, i argraffu efengyl dirwest ar feddwl Cymry Lerpwl. Cefnogwyd ef gan lu o'r traddodiad Ymneilltuol, a throsglwyddwyd sêl Corfanydd i ddwylo'r Parchedig John Thomas (1821-1892), fu'n gweinidogaethu yn Nhabernacl yr Annibynwyr yn Great Crosshall Street a Netherfield Road o 1854 i'w farwolaeth. Meddai ar allu diamheuol, fel ei frawd, y Parchedig Ddr Owen Thomas (1812-1891), a weinidogaethodd yn Netherfield Road a Princes Road rhwng 1856 a

1891. Daethai'r ddau frawd fel ei gilydd i amlygrwydd ymhlith y Cymry trwy lwyfannau dirwest.

Y Mudiad Eisteddfodol

Roedd y mudiad cymdeithasol ynghlwm wrth yr awydd i ddiogelu'r iaith Gymraeg a'i chymell ar blant a ieuenctid. Daeth yr eisteddfod yn rhan anhepgorol o fywyd Cymraeg y Glannau, a chynhelir eisteddfodau mawr yn gyson yn Lerpwl. Bu'r ddinas yn ffodus i gael eisteddfodwyr brwd yn gweinidogaethu yn y ddinas. Y cyntaf ohonynt oedd David James (Dewi o Ddyfed, 1803-1871) a ddaeth yn ficer Eglwys Gymraeg Kirkdale yn 1836. Roedd yn Gymro o'r iawn ryw ac yn adnabyddus ar lwyfan yr eisteddfod, a chefnogodd yr eisteddfodau cynnar.

Rhaid enwi dau arall, sef y Parch John Owen Williams (Pedrog, 1853-1932), a Peter Williams (Pedr Hir 1847-1922). Bu'r cyntaf yn weinidog ar Gapel Annibynwyr Kensington o 1884 hyd ei ymddeoliad yn 1930, ac mae ei wrhydri ym myd yr Eisteddfod Genedlaethol bron yn unigryw - enillodd Gadair Eisteddfod Genedlaethol Abertawe yn 1891, Llanelli yn 1895 a Lerpwl yn 1900. Am flynyddoedd ef oedd y prif feirniad neu'r arweinydd yn yr eisteddfodau lleol ac roedd hefyd yn flaenllaw yn yr Eisteddfod Genedlaethol. Pan ddaeth honno i Barc Sefton yn 1929, ef oedd yr Archdderwydd. Mae ei fywyd ef yn un o hanesion mwyaf arwrol ein hanes: o dlodi affwysol ei blentyndod i anrhydeddau bywyd cysurlon Archdderwydd.

Bu Peter Williams yn weinidog ar Gapel y Bedyddwyr yn Balliol Road, Bootle o 1897 hyd ei farw, ac roedd yntau hefyd yn eisteddfodwr nodedig. Ysbrydolwyd ei ysgrifbin gan fudiad yr eisteddfod. Roedd yn y rheng

Pedr Hir

flaenaf; gwerthfawrogid ei arabedd ar y Maen Llog, a chyhoeddwyd yr anerchiadau a wnaethai oddi arno mewn cyfrol o dan y teitl *Damhegion y Maen Llog* a gyhoeddwyd yn y flwyddyn 1923. Yn yr ugeinfed ganrif cafodd mudiad yr eisteddfod ei chefnogi gan fyfyrwyr Prifysgol Lerpwl a cholegau eraill, ac maent yn dal i rannu cyfrifoldeb am yr eisteddfod flynyddol gyda'r gymuned Gymreig. Am flynyddoedd bu Eisteddfod Lewis (a gâi ei chynnal a'i chefnogi'n ariannol gan y stordy

yn Renshaw Street) yn denu cystadleuwyr talentog yn y cyfnod rhwng y ddau Ryfel Byd. O ganlyniad i ymweliadau'r Eisteddfod Genedlaethol â Lerpwl, sefydlwyd cymdeithasau eraill. Ar ôl Eisteddfod Genedlaethol 1884, sefydlwyd Cymdeithas Gymraeg Lerpwl, a deil ar dir y byw. Sefydlwyd Undeb Corawl Cymry Lerpwl yn 1900 o ganlyniad i ymweliad yr eisteddfod, ac mae yntau hefyd yn dal i wasanaethu'r Glannau.

Y Bywyd Cerddorol

Bu cerddoriaeth yn rhan bwysig o fywyd Cymry Lerpwl, a gwnaed gwaith arloesol yn y maes. O ganlyniad i gyhoeddi *Llyfr Tonau Cynulleidfaol* gan y Parch John Roberts (Ieuan Gwyllt, 1822-1859), agorodd cyfnod newydd mewn canu cynulleidfaol ymhlith cenedl y Cymry. Gweithiodd Ieuan Gwyllt ar y llyfr am chwe blynedd yn ystod y cyfnod y bu yn Lerpwl fel golygydd cynorthwyol *Yr Amserau*, papur i Gymry'r Glannau a olygid gan Gwilym Hiraethog. Yr oedd William Rees yn llenor, yn ymgyrchwr, bardd, darlithydd, ffrind Garibaldi a Mazzini, yn *polymath* o'r radd flaenaf. Arloeswr arall ymhlith Cymry Lerpwl ym myd caniadaeth y cysegr oedd Eleazer Roberts (1825-1912), awdur y nofel *Owen Rees* sy'n portreadu bywyd teulu o Gymry'r ddinas. Ond uwchlaw pawb, yr un a sefydlodd draddodiad cerddorol yn y ddinas oedd Harry Evans (1823-1914)

Casgliad John Thomas

Ieuan Gwyllt

Y baswr enwog John Henry, genedigol o Borthmadog a fu'n byw yn Lerpwl ac yn dysgu cerddoriaeth am gyfnod hir

a fu'n arweinydd Undeb Corawl Cymry Lerpwl o 1902 hyd ei farwolaeth, ac yn gôr-feistr ar Gymdeithas Ffilharmonig Lerpwl. Rhyfeddai Syr Henry Wood a Syr Edward Elgar at ei allu, ac o dan ei arweiniad daeth Undeb Corawl Cymry Lerpwl yn adnabyddus trwy ogledd Lloegr. Daeth mynychu

nosweithiau'r Undeb Corawl yn y Neuadd Ffilharmonig yn un o uchafbwyntiau bywyd *bourgeoisie* Cymraeg y Glannau. Ni pheidiodd yr

E. Emrys Jones

Bedd Harry Evans a'i briod Edith ym mynwent Smithdown Road

arferiad hwn, ond diflannodd y corau eraill i gyd, gan gynnwys Côr y Cymric a chorau'r capeli. Cynhelir cymanfaoedd canu ar y Glannau o hyd, o leiaf dair i bedair ohonynt bob blwyddyn - un neu ddwy yn Lerpwl, un yn Runcorn ac un ym Mhenbedw - a deil corau, partïon ac unawdwyr i ddod i ddiddori cynulleidfaoedd y cymdeithasau Cymraeg, fel Clwb y Cymry. Arferai aelodau'r clwb hwn ymgynnull mewn adeilad yn Parliament Street, ond yn Ystafell Sandon yn y Bluecoat Chambers y maent yn cyfarfod bellach. Y mae Cymdeithas Lenyddol Lerpwl, wedi ei chanoli yng Nghapel Bethel, Heathfield Road, yn paratoi rhaglen amrywiol o ddarlithiau, cyngherddau

Neuadd Ffilharmonig Lerpwl

a chyfarfodydd brethyn cartref i ddiddori'r Cymry bob gaeaf. Y mae Cylch Pump ar Hugain yn cyfarfod

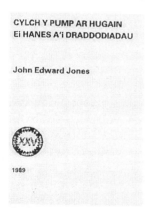

Llyfryn yn rhoddi hanes y Cylch

unwaith y mis i drafod pynciau trwy gyfrwng y Gymraeg yng Ngholeg Sant Catherine sydd bellach yn rhan o Goleg Gobaith Prifysgol Lerpwl.

Cyfraniad y Cymry i'r Ddinas

Y mae cyfraniad Cymry Lerpwl i fywyd y ddinas ac i Gymru wedi bod yn aruthrol. Cafodd y ddinas wasanaeth gwleidyddion o waed Cymreig a hynny ym mhob plaid. Fe'i gwasanaethwyd yn helaeth gan feibion a merched Cymraeg yn y byd meddygaeth, ac yn arbennig ym myd yr esgyrn trwy athrylith Hugh Owen Thomas (1834-1891). Daeth ei dad, Evan Thomas (1804-1889), o Fôn tua'r flwyddyn 1835. Bu'n feddyg esgyrn llwyddiannus dros ben yn ei syrjeri yn 72 Great Crosshall Street, er na chafod addysg feddygol mewn prifysgol, a pharhaodd y mab hynaf â'r gwaith er iddo ffraeo â'i dad a symud yn gyntaf i 24 Hardy Street, ac yna i 11 Nelson Street. Dyfeisiodd sblintiau arbennig, ac roedd ar flaen y gad yn yr ymgais i greu offer eraill a fyddai'n hwyluso gwellhad esgyrn a anafwyd neu gymalau yr oedd clefyd arnynt, fel y diciáu, drwy sicrhau eu bod yn cael gorffwys. Y mae'n debyg na lwyddodd yr un llawfeddyg arall fel y llwyddodd ef i drin esgyrn toredig yn nhai gweithwyr y dociau

Y Llawfeddyg J. Howell Hughes

Goronwy Thomas, llawfeddyg esgyrn

nos a dydd, ac na chafodd yr un llawfeddyg arall ym Mhrydain gyfle tebyg i drin cymaint o esgyrn toredig ag a driniai ef, gan roi ei holl fywyd i'r dasg. Yr oedd mor wahanol i'r rhelyw o Gymry Lerpwl; roedd o blaid paffio, yn ffrind i'r rhesymolwr Charles Bradlaugh, yn agor ei syrjeri led y pen ar fore Sul i drin y tlodion

Yr Athro Owen Herbert Williams (1884-1962), Athro Llawfeddygaeth Prifysgol Lerpwl

na allai fforddio talu, ac yn gymwynaswr heb ofyn am ganmoliaeth. Ni welid ef yn sêt fawr unrhyw gapel, ond chwyldrôdd ei alwedigaeth. A bu'n ffodus fod ganddo nai a gariodd ei waith i'n canrif ni; gwnaeth hwnnw, sef Syr Robert Jones (1857-1933), ysbyty'r Southern yn enw teuluol trwy ogledd Cymru. Y mae presenoldeb cymaint o feddygon Cymraeg yn ysbytai'r ddinas wedi bod yn un rheswm pam mae cleifion o bob rhan o ganolbarth a gogledd Cymru wedi tyrru i'r Glannau; i weld Dr Emyr Wyn Jones, Howell Hughes, Robert Owen, yr Athro Emeritus David Alan Price Evans a'r Athro R. T. Edwards pan oeddynt yn yr Ysbyty Brenhinol, a heddiw teithiant i Ysbyty Broadgreen i dderbyn o fedr Wil Lloyd Jones, ac i Ysbyty Halton i ymgynghori â'r arbenigwr ar yr ysgyfaint, Dr John G. Williams, ac i Ysbyty Arrowpark at Dr Hugh Thomas, mab E. Goronwy Thomas.

Cyfraniad Cymry Lerpwl i Gymru

Y mae Cymru'n fawr ei dyled i Gymry Lerpwl. Cafodd y rhan fwyaf o'r sefydliadau Cymraeg gymorth ganddynt; sefydliadau fel Llyfrgell Genedlaethol Cymru, Urdd Gobaith Cymru (plant Cymry Lerpwl oedd Mrs Eirlys Edwards, priod Syr Ifan ab Owen Edwards, a'r Cyfarwyddwr R. E. Griffith), yr Eisteddfod Genedlaethol, a'r enwadau crefyddol - yr Annibynwyr Cymraeg ac Eglwys Bresbyteraidd Cymru yn enwedig.

Mae hanesyddiaeth Gymraeg yn ddyledus dros ben i rai a anwyd yn Lerpwl neu a ddaeth i fyw a gweithio yn y ddinas. Ni ellir astudio hanes

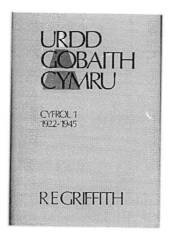

URDD GOBAITH CYMRU

CYFROL 1
1922-1945

R E GRIFFITH

Cysylltiad Lerpwl ag Urdd Gobaith Cymru

Cymru yn y cyfnod cynnar a'r Canol Oesoedd heb ystyried campwaith Syr John Lloyd ac erthyglau yr Athro T. Jones Pierce, meibion y ddinas, ac ni ellir ystyried hanes Cymru fodern heb ddarllen cyfrolau yr Athro R. T. Jenkins, a anwyd yn ardal Toxteth,

a'r Athro Merfyn Jones, a fu ar staff Prifysgol Lerpwl am bymtheng mlynedd. Byddai hanes crefydd yn llawer tlotach heb ymdrechion John Hughes, Mount Street, Owen Thomas, John Thomas, yr Annibynnwr J. Hughes Morris, D. D. Williams, Belvedere Road, a John Roberts, David Street (a Chaerdydd yn ddiweddarach).

Cymry ym Mhrifysgol Lerpwl

Cafodd ysgolheictod ac astudiaethau iaith a llenyddiaeth Gymraeg eu cyfoethogi gan y rhai hynny fu'n gysylltiedig ag Adran Gelteg Prifysgol Lerpwl o ddyddiau John Glyn Davies, y bardd a anfarwolodd Bortin-llaen ac Edern, i Syr Idris Foster, Melville Richards a D. Simon Evans. Y myfyriwr mwyaf talentog o blith llu o fyfyrwyr Cymraeg fu ym Mhrifysgol Lerpwl oedd J. Saunders Lewis (1893-1985), mab i weinidog Methodistaidd Calfinaidd yn Seacombe, New Brighton, a gynhyrchodd farddoniaeth, dramâu a beirniadaeth lenyddol o'r radd flaenaf gan ychwanegu'n ddirfawr at lenyddiaeth Gymraeg yr ugeinfed ganrif. Ac wrth sôn am Brifysgol Lerpwl, wiw i ni anghofio cyfraniad yr Athro William Garmon Jones (1884-1937) a dreuliodd ei holl yrfa yno fel darlithydd, Athro a llyfrgellydd, gan briodi ag Eluned, unig ferch Syr John Edward Lloyd, a hefyd gyfraniad yr ysgolor Romani John Sampson (1862-1931), awdur y gyfrol hynod *The Dialect of the*

Gypsies of Wales (1926) a fu'n llyfrgellydd y brifysgol am 36 mlynedd. Syrthiodd mor ddwfn mewn cariad â Chymru nes dymuno i'w weddillion gael eu gwasgaru ar Foel Goch, uwchlaw Llangwm, yn sŵn canu'r sipsiwn. Cofiaf yn dda aml i gymeriad ar staff Prifysgol Lerpwl, a'r mwyaf lliwgar ohonynt, mae'n siŵr, oedd Richard Huws, a gynlluniodd fathodyn Plaid Cymru.

Daw myfyrwyr Cymraeg i Brifysgol Lerpwl heddiw gan amlaf i astudio meddygaeth, gwyddoniaeth a'r gyfraith, oherwydd caewyd yr Adran Gelteg yn 1976, a golygodd hynny gryn golled i'r bywyd Cymraeg.

Digwyddodd y peth yn reit gyflym, gan awgrymu i rai ohonom fod dylanwad y Cymry yng nghoridorau pŵer ac awdurdod y brifysgol wedi gwanhau'n ddybryd. Ni allem ddychmygu'r fath weithred ddi-alw-amdani'n digwydd pan oedd yr Athro D. Seaborne Davies yn Athro yn Adran y Gyfraith.

Gweithredu Creadigol

Yn ddi-ddadl, saif dwy weithred arall allan fel gweithredoedd pellgyrhaeddol ar ran y Cymry. Y weithred gyntaf oedd penderfynu cludo'r Efengyl i ogledd-ddwyrain India - talaith Assam, fel y'i gelwid yr adeg honno. Y cenhadwr cyntaf i'w anfon allan oedd Thomas Jones (1810-1849) yn 1840 a aeth i fryniau Khasia gan ymsefydlu yn Cherrapunjee. Dysgodd yr iaith Khasai fel eraill a aeth ar ei ôl, a

chyfoethogodd ei llenyddiaeth. Daeth Lerpwl, a'r swyddfa yn Falkner Street, yn ganolfan i'r gwaith cenhadol hwn; yno y paratowyd y cylchgrawn llawn hanesion *Y Cenhadwr*, a magodd eglwysi'r Glannau lu o genhadon dros y cenedlaethau. Trwy garedigrwydd teulu'r Parchedig T. B. Phillips, mae'r holl hanes yn mynd i gael ei

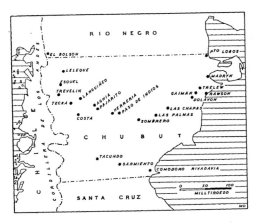

Map o'r Wladfa o waith Dr Margaret Davies

gasglu ynghyd, a bwriedir cynhyrchu geiriadur cenhadol o dan nawdd Ymddiriedolaeth Gogledd-Ddwyrain India - Cymru a sefydlwyd yn 1995 gan awdur y gyfrol hon a Henaduriaeth Lerpwl.

Yr ail weithred oedd gwireddu, dros chwarter canrif, weledigaeth nodedig arall, sef sefydlu Gwladfa Gymraeg ym Mhatagonia yn Ariannin bell. Chwaraeodd y cylch hwn ran amlwg yn y cynllunio, yn enwedig pan symudodd Lewis Jones (1836-1904) o Gaergybi i Lerpwl a dod yn un o brif arweinwyr y mudiad gwladfaol. Oni bai ei fod ef a Capt Love Jones Parry wedi gorliwio'r darlun ar ôl ymweld â'r wlad anhygyrch, ni fyddai'r Cymry wedi gadael Lerpwl yn y *Mimosa* yn 1865. Ef ac arloeswr arall, Edwyn Cynrig Roberts, Cymro Americanaidd a drigai yn Wigan, a hen-daid i Elan Jones (Mossley Hill) a anfonwyd draw i baratoi lle i ymfudwyr y *Mimosa*. Bu nifer ohonom yn y Wladfa erbyn hyn, a rhyfeddwn o hyd at ddewrder yr ymfudwyr cyntaf, a phenderfyniad di-ildio y rhai sydd yno heddiw i warchod y dystiolaeth Gymraeg rhag cael ei llwyr lyncu gan y diwylliant a'r iaith Sbaeneg. Yr wyf yn credu fod mwy o ruddin ymhlith y Gwladfawyr nag sydd ynom ni. Peidiodd yr ymfudo i'r Wladfa cyn y Rhyfel Byd Cyntaf, a phe bai wedi digwydd i'r Glannau, byddem wedi peidio â bod erbyn hyn. Yr hyn a gadwodd Cymry'r Glannau'n fyw oedd y ffaith ein bod mor agos i ffin Cymru a bod pobl wedi ymfudo'n gyson atom hyd y saithdegau. Ond yn ystod yr ugain mlynedd diwethaf aeth Caerdydd yn fwy o atyniad na Lerpwl i'r Cymry ifanc.

Dirywiad y Gymuned Gymraeg

Fe'n gwanhawyd fel cymuned Gymraeg gan ddiffyg ymfudo o Gymru i'n plith oherwydd diweithdra mawr ar Lannau Mersi, a hefyd gan newid patrwm sylfaenol ym mywyd ein cydwladwyr ac ym mywyd pobl Lerpwl a'r cyffiniau. Daeth y Cymry yma yn ystod yr ymfudo mawr pan oedd y dref yn cynyddu ac yn tyfu. Chwilio am well byd oedd nod y Cymry hyn - dod i'r Wtopia ac i'r Eldorado - ac yn hanes llawer un fe ganfu fyd gwell. Daeth llawer ohonynt, yn enwedig y merched, i weithio yn nhai y dosbarth canol a'r byddigions. Y mae swyddi felly wedi diflannu, ond y gwaith hwn a'r merched yn gweini a roddodd fod i gapeli Cymraeg yn Waterloo,

Dosbarth Ysgol Sul Heathfield Road yn y tridegau, dosbarth o ferched gweini yng nghartrefi'r cylch

Southport a West Kirby. Peidiodd y Cymry â dylifo i'r diwydiant adeiladu hefyd; yn wir, diflannu o un i un fu hanes cwmnïau adeiladu Lerpwl, gan adael rhyw hanner dwsin o gwmnïau gweddol fawr yn ein plith. Cwmni J. W. Jones, Allerton oedd yr olaf o'r cwmnïau Cymraeg o faint i oroesi, ond caeodd swyddfa'r cwmni hwnnw yn Allerton Road ei drysau hefyd yn nechrau'r wythdegau.

Daeth y teledu yn gyfrwng boddhad

i drwch y boblogaeth, a phan ddaw'r teledu i gartref y ffyddlonaf o'r Cymry fe gaiff ddylanwad. Rwyf yn dyst o hynny, ac mae gennyf lawer enghraifft i brofi'r pwynt. Yn wir daeth rhaglenni teledu yn destun gystadleuaeth gan *Pobol y Cwm* a rhaglenni ysgafn y sianel.

Yr oedd bywyd cymdeithasol Cymry Lerpwl ar ei gryfaf pan nad oedd radio na theledu ar gael, a phan oedd y car modur yn nwylo'r cyfoethogion

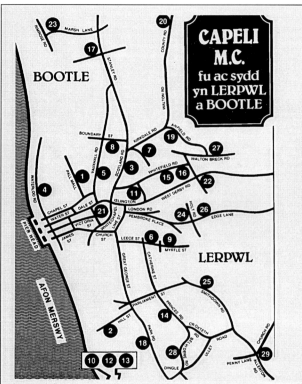

CAPELI M.C. fu ac sydd yn LERPWL a BOOTLE

Atodiad 1

CAPELI M.C. LERPWL A BOOTLE

1	1787	Pall Mall	Symud i Crosshall Street 1881
2	1806	Bedford Street	Symud i Princes Road 1867
3	1826	Rose Place	Symud i Fitzclarence Street 1865
4	1834	Oil Street	Symud i Burlington Street 1839
5	1839	Burlington Street	Symud i Netherfield Road 1859
6	1841	Mulberry Street	Symud i Chatham Street 1861
7	1860	Netherfield Road	Symud i Douglas Road 1903
8	1860	Cranmer Street	Symud i Anfield Road 1877
9	1861	Chatham Street	Ymuno yn Y Drindod 1950
10	1863	Wellington Street	Symud i Woodger Street 1865
11	1865	Fitzclarence Street	Datgorfforwyd 1941 wedi ei ddinistr
12	1865	Woodger Street	Symud i Chapel Road, Garston
13	1866	Chapel Road, Garston	Ar agor
14	1868	Princes Road	Ymuno yn Y Drindod 1950
15	1869	Whitefield Road	Symud i Lombard Street 1869
16	1869	Lombard Street	Symud i Newsham Park 1884
17	1876	Stanley Road, Bootle	Ar agor
18	1878	David Street	Symud i Belvedere Road 1924
19	1878	Anfield Road	Datgorfforwyd 1979
20	1879	Walton Park	Datgorfforwyd 1969
21	1880	Crosshall Street	Datgorfforwyd 1920
22	1884	Newsham Park	Datgorfforwyd 1951
23	1884	Peel Road, Bootle	Datgorfforwyd 1949
24	1884	Holt Road	Symud i Edge Lane 1900
25	1887	Webster Road	Symud i Heathfield Road 1925
26	1900	Edge Lane	Ymuno ym Methel 1975
27	1906	Douglas Road	Datgorfforwyd 1974
28	1924	Belvedere Road	Ymuno yn Y Drindod 1950
29	1927	Heathfield Road	Ymuno ym Methel 1975
14	1950	Y Drindod	Ymuno ym Methel 1975
29	1976	Bethel	Ar agor

Dinistrwyd yn llwyr dau o'r Capeli gan ymosodiadau o'r awyr yn ystod Yr Ail R Byd. Ail adeiladwyd Eglwys Stanley Road, Bootle yn 1951. Trosglwyddwyd y *Damage Claim* ynglŷn ag Eglwys Fitzclarence Street i'r Cyfundeb a chyda'r a adeiladwyd Fitzclarence Hall, Sandfields, Aberafan.

Map a manylion a baratowyd gan y Barnwr J.E. Jones yn 1987.

sgwrs, gan ddisodli sgwrs ar faterion mwy tyngedfennol a chrefyddol. Gan fod y Glannau'n derbyn S4C, mae gwylio mawr ar y rhaglenni Cymraeg, ac o ganlyniad mae cyfarfodydd wedi newid, yn enwedig yn ystod misoedd y gaeaf. Brwydr galed yw ceisio cadw cymdeithasau'n fyw yn wyneb y

neu'r bobl broffesiynol yn unig - meddygon, cyfreithwyr, neu weinidogion yr Efengyl - a phan oedd swyddi ar gael i ddynion a merched ifanc heb unrhyw gymwysterau addysgol. Yr unig beth a ofynnid oedd ufudd-dod llwyr, ac ymostwng i ewyllys y meistr a'r feistres. Nid oedd modd i drwch y boblogaeth ddianc o'r ddinas. Gallai'r dosbarth canol cefnog wneud hynny yn gyson, ond nid y ferch oedd yn gweini, y nyrs yn yr ysbyty, y myfyriwr yn y coleg, y saer coed a'r saer maen yn y diwydiant adeiladu. Erbyn heddiw fe deithia ugeiniau o Gymry o ochrau'r Wyddgrug yn ddyddiol i ganol y ddinas, ac fe amddifedir y bywyd Cymraeg o'u cefnogaeth pan ddaw ecsodus eto ar y penwythnos wrth i'r ifanc heidio yn ôl i'w cynefin. Nid ffenomen newydd mohoni; yr ydym wedi arfer â hyn ers chwarter canrif. Cofiaf yn dda fynychu penwythnos y glasddyfodiaid yng Ngholeg I. M. Marsh a chyfarfod llu o Gymry ifanc, ac ymhen blwyddyn, gyfarfod rhai ohonynt eto nad oeddwn weld eu gweld ar y Sul, a chael yr esboniad eu bod wedi teithio bob penwythnos drwy'r tymhorau - mynd adre nos Wener a dod yn ôl nos Sul. Canlyniad yr holl ffactorau hyn, ynghyd â diffyg argyhoeddiad crefyddol, ethos cymdeithas fwy unigolyddol, ymrwymiad i waith cartref a theulu, llacio safonau ynglŷn â chadwraeth y Sul, pwysau economaidd, yr adeiladau fu'n gartref i'r Cymry yn llyncu adnoddau na ellir eu darparu bellach, yw bod yr hyn a gymerid mor ganiataol yn cael ei danseilio. Dim ond cymdeithasau gweddol gefnog all fodoli hyd y ganrif nesaf, a chymdeithasau sy'n barod i addasu eu hadeiladau a'u strategaeth er mwyn dod o hyd i'r cyfalaf sydd mor angenrheidiol. A dyna pam

mae'r gyfrol hon mor arbennig, yn agoriad llygad i bawb fydd yn ei darllen. Stori'r dadfeilio mawr ydyw, ac adeiladau'r Cymry'n diflannu o un i un. Nid oes gan yr Annibynwyr Cymraeg ond un adeilad ar ôl, ac nid hwy sydd berchen ar hwnnw. Fe'i gwerthwyd a'i droi'n ysgol feithrin, ac fe'i llogir ar bnawn Sul ar gyfer y ffyddloniaid sy'n mynychu oedfa dri o'r gloch. Diflannodd pob adeilad fu'n perthyn i'r Bedyddwyr Cymraeg a'r Eglwys Anglicanaidd Gymraeg, a threfnent hwy wasanaeth misol yn Eglwys Dewi Sant a Sant Philip yn Sheil Road. Y mae'r Eglwys Fethodistaidd yn dal yn Trefebin ac yn cadw ei hunaniaeth yn Lerpwl o fewn adeiladau Bethel. Yr Eglwys Bresbyteraidd yw'r enwad sy'n chwifio baner Cristnogaeth Gymraeg yn Lerpwl a'r cyffiniau, ond mae ganddynt hwy benderfyniadau pwysig i'w gwneud cyn diwedd y ganrif.

Yr unig beth y gellir ei ddweud yw bod y Cymry yma o hyd; y mae capel Cymraeg yn dal ar y Glannau, y mae nifer dda o Gymry'n dal i addysgu plant yn ysgolion cynradd ac uwchradd y Glannau, ac mae'r papur bro *Yr Angor* yn cynnal traddodiad papurau Cymraeg fel *Yr Amserau, Y Dinesydd, Y Cymro, Y Brython, Y Glannau*, a'r *Bont*. Y mae un cwmni cyhoeddi - cyhoeddwyr y gyfrol hon a'r cwmni a sefydlais yn 1963 yn Abercynon - yn dal i gynhyrchu ambell gyfrol, ond dim byd i'w gymharu â'r hyn a wnaed yn y chwe a'r saithdegau. Ond y mae bodolaeth

Cyhoeddiadau Modern Cymreig Cyf yn ein hatgoffa o'r holl gyfraniad a wnaed gan John Jones yn Castle Street, Issac Foulkes yn Paradise

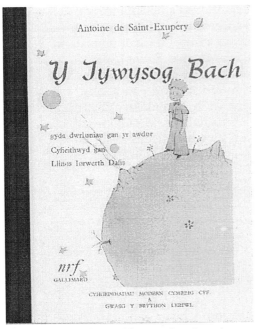

Antoine de Saint-Exupéry

Y Tywysog Bach

gyda dwrluniau gan yr awdur

Cyfieithwyd gan
Llinos Iorwerth Dafis

nrf
GALLIMARD

CYHOEDDIADAU MODERN CYMREIG CYF.
A
GWASG Y BRYTHON LERPWL

Yr unig esiampl o gyhoeddi ar y cyd yn Lerpwl

Street, a Hugh Evans yn Stanley Road, ac enwi tri chyhoeddwr Cymraeg reit arbennig. Er nad oes ysgol Gymraeg ar y Glannau yn dysgu trwy gyfrwng y Gymraeg, fel yr ysgol honno yn Pall Mall ar ddechrau'r bedwaredd ganrif ar bymtheg, y mae yna blant sy'n dal i gael eu magu i lefaru'r iaith, ac yn medru gwneud hynny'n gyhoeddus fel eu tadau a'u teidiau. Mae hefyd nifer dda o oedolion o blith y Saeson a'r Cymry di-Gymraeg yn cyfarfod yn

y canolfannau ar y Glannau bob hydref, gaeaf a gwanwyn fel dysgwyr yr iaith. Dyma lygedyn o obaith wrth wynebu ar ganrif arall, er na fydd hi'n bosibl adfeddiannu'r byd Cymreig a gofir yn y gyfrol hon.

Cysylltiadau Llenyddol Glannau Mersi

Mae gen i stori fawr, saga yn wir, na chafodd ei hadrodd o'r blaen, a saga y mae gwir angen ei hadrodd. Mae'n rhaid imi gydnabod â diolch, y Cymry hynny fu wrthi ar y Glannau ar hyd y cenedlaethau yn gwarchod yr hanes ac yn llenydda yn Gymraeg, oherwydd stori ennill a cholli yw stori llenyddiaeth Gymraeg Glannau Mersi, ac y mae'n stori werth ei hadrodd, fel ag y mae stori llenyddiaeth y Wladfa a Manceinion.

Mae un peth yn wir am y rhai a ysgrifennodd yn Gymraeg yn Lerpwl, Manceinion, Llundain, Utica a'r Wladfa - llenorion a beirdd alltud ydynt. Llenyddiaeth pobl y ddeufyd ydyw: y byd Saesneg bob dydd a'r byd Cymraeg gwerinol, eisteddfodol, capelyddol. Er fod Glannau Mersi mor agos i Gymru, eto alltudion ydyn ni - er nad yw'r mwyafrif llethol o'r rhai fu'n llenydda ar y Glannau mor ymwybodol o'r ffaith honno ag yw beirdd alltud y Wladfa.

Mae hiraeth yn elfen gref ym marddoniaeth y Glannau, fel ag ym marddoniaeth Cymru. Mae'n rhan o'r profiad dynol, fel y mynega un o feirdd y Glannau, Elias Davies, Egremont ac Abererch yn yr englyn canlynol:

Daw hiraeth â du oriau - daw â'i gur
Daw â di-gwsg nosau;
Hwn a'i loes sydd yn amlhau
Ei arwyddion ar ruddiau.

Ond y mae hiraeth yr alltud i'w gael, hiraeth am fro ein mebyd, y Gymru ddelfrydol a welwn yng nghof ein dychymyg. Ac fe geir enghraifft wych o hyn yn y cywydd a ganodd Goronwy Owen yn 1753 ar ôl ychydig amser fel curad Eglwys Walton. Fe gyrhaeddodd Walton ar ddydd Sul, 29 Ebrill 1753, a fore trannoeth ysgrifennodd at William Morris yn cwyno am ei gyd-fforddolion mewn darn sydd bellach yn rhan o'r saga alltudol:

Nid yw'r bobl y ffordd yma, hyd y gwelaf, ond un radd uwchlaw'r Hottentots; rhyw greaduriaid anfoesol a didoriad. Pan gyfarfyddir â hwy, ni wnânt ond llygadrythu'n llechwrus, heb ddywedyd bwmp mwy na buwch; eto rwy'n clywed mai llwynogod henffel, cyfrwys-ddrwg, dichellgar ydynt.

Ac yng nghanol yr awyrgylch yna fe ysgogwyd Goronwy Owen i ganu ei gywydd hiraeth am Fôn, cywydd sy'n tanlinellu'r ffaith ei fod yn ymwybodol mai alltud ydoedd.

Dieithryn ddyn ydwyf,
Gwae fi o'r sud! alldud wyf.
Pell wyf o wlad fy nhadau
Och sôn! ac o Fôn gu fau;
Y lle bûm yn chwarae gynt
Mae dynion nam hadwaenynt;

Cyfaill neu ddau a'm cofiant,
Prin ddau lle'r oedd gynnau gant;
Dyn didol dinod ydwyf
Ac i dir Môn estron wyf;
Dieithr i'n hiaith hydraith hen,
Dieithr i berwawd awen
Gofidus, gwae fi! ydwyf
Wrth sôn, a hiraethus wyf.

Ysgol Ramadeg Walton

Dyma hiraeth sy'n creu llenyddiaeth fawr, a dyma enghraifft wych o'r teimlad yn cael ei fynegi mewn barddoniaeth. Rhoddaf enghraifft yn awr o fyd rhyddiaith, ac mae'n rhaid rhoi'r lle blaenaf i Hugh Evans, sylfaenydd Gwasg y Brython, a ddaeth i Lerpwl o Langwm yn 1875.

Oni bai am ei hiraeth am Uwchaled, y crefftau a'r arferion oedd yn diflannu, yr hen fyd oedd yn peidio â bod, a'i radicaliaeth gref, ni fyddem wedi cael y clasur hwnnw *Cwm Eithin*, a gyhoeddwyd ar ddiwedd ei oes.

Hugh Evans yw'r enghraifft orau y gwn i amdani o ddisgybl i Samuel Roberts, Llanbryn-mair. Mae ei gyfrol yn bropaganda digyfaddawd dros y tenantiaid a gafodd fywyd anodd ar yr ucheldir, ac y mae'n canmol safbwynt S.R. i'r entrychion. Y Gymraeg ac Uwchaled oedd bwyd a diod Hugh Evans, ynghyd â hiraeth am bobl gyffredin fel Mari William, Pen y Griglyn, a oedd yn un o'r enghreifftiau gorau o'r gwlanwyr yng Nghwm Eithin ei blentyndod. Dyma alltud yn ôl yn ei gynefin ac yn gweld Mari William:

Yr oedd yn werth ei gweled yn dyfod, un pac o wlân wedi ei rwymo ar ei chefn, rywbeth yn debyg i gas gobennydd wedi ei stwffio yn dynn o wlân; pac arall o dan bob cesail, tebyg i gas clustog. Byddai fy hen ewythr wrth ei fodd yn ei gweled yn dyfod, a gofalem ninnau'r hogiau aros yn y tŷ y noson honno ar ôl swper, oherwydd un o wleddoedd gorau'r flwyddyn oedd clywed f'ewythr yn holi Mari am hanes a helynt y teuluoedd y byddai hi wedi galw gyda hwy.

Gwych. Yr un mor wych ag englyn a gyfansoddodd William Thomas Edwards (Gwilym Deudraeth) i'w gynefin pan oedd yn Lerpwl:

Dof yn well, nid af yn waeth - awyr iach
A rydd feddyginiaeth;
Carwn ar blwc o hiraeth - fynd o'r lle
Rwan hyd adre i Benrhyndeudraeth.

A thrwy'r cenedlaethau, o ddyddiau Goronwy Owen i'n dyddiau ni, fe welwyd yn gyson feirdd, llenorion a rhigymwyr yn cael eu gorfodi i lenydda gan rym yr hiraeth. Ond pan feddyliwn ni am Goronwy Owen a'r Cymry fu'n llenydda ar ei ôl, mae'n

rhaid cofio un peth pwysig iawn, sef nad oedd gan Goronwy Owen yn ystod ei ddwy flynedd yn Lerpwl, gymdeithas Gymraeg o'i amgylch; a dylwn ychwanegu nad oedd yna sefydliad i warchod yr iaith, chwaith. Cwynai Goronwy Owen am gurad arall mewn plwyf cyfagos a rannai'r un cyfenw ag ef, a oedd yn pedlera'r stori mai iaith yn marw oedd y Gymraeg, ac nad oedd dim byd ynddi oedd yn werth ei ddarllen, ac ymhen can mlynedd fyddai yna ddim iaith Gymraeg ar gael. Yr ydym yn dal i lenydda yn Gymraeg ar y Glannau, drwy gyfrwng y papur bro *Yr Angor*. Cwyd Goronwy Owen bwynt arall, sef bod yn rhaid i lenor a bardd gael rhyw fath o gefnogaeth. Ni all bardd farddoni heb gefnogaeth ariannol neu gymdeithasol. Meddai wrth Richard Morris:

Rych yn gofyn pam yr wyf yn gadael i'r awen rydu (yn Walton). Rhof a Duw pe cawn bris gweddol amdani, mi a'i gwerthwn hi. Beth a dal Amen, lle bo dyn mewn llymdra a thlodi? A phwy gaiff hamdden i fyfyrio tra bo o'r naill wasgfa i'r llall mewn blinder ysbrydol a chorfforol?

Er fod Goronwy Owen yn medru ei dweud hi heb flewyn ar dafod, eto y mae ganddo bwynt hollbwysig. I gynhyrchu unrhyw fath o lenyddiaeth, gwych a gwachul, clasurol a phoblogaidd, at iws cymdeithas a chapel, mae'n rhaid cael cefnogaeth a chanllawiau a sefydliadau, ac yn nechrau'r bedwaredd ganrif ar bymtheg fe

ddaeth y gefnogaeth a'r cyfleusterau
ar gyfer llenydda. Nodaf hwy yn fras.

1. Y Capeli Anghydffurfiol

Mae hanes rhai o'r capeli Cymraeg
wedi cael ei ysgrifennu'n weddol
gyflawn ar y Glannau - cyfrolau difyr
Joseph Davies ar y Bedyddwyr
Cymraeg, J. Hughes Morris ar y
Methodistiaid Calfinaidd Cymraeg, y
Barnwr J. E. Jones, *Antur a Menter
Cymry Lerpwl,* ac yn arbennig ysgrif
dreiddgar R. Merfyn Jones yn *Cymry
Lerpwl a'u Crefydd* (1984). Dywed
Dr Merfyn Jones:

Y Parch J.D. Vernon Lewis

Y capel oedd yr arwydd gyhoeddus yn Lerpwl o
bresenoldeb y Cymro, y capel oedd yn trefnu ei
fywyd a'r capel oedd yn llais i'w obeithion. Yr
oedd yn y capel addewid am gyfeillion,
diogelwch, diwylliant, disgyblaeth a swydd, a neb
yn cael achos i'w siomi, ac wrth gwrs yr oedd yno
addewid hefyd am gadwedigaeth enaid.

Y Parch William Rees

Dyma'r gymdeithas a'r noddwyr na
welodd Goronwy Owen mohonynt,
ond oddi mewn i'r gymdeithas hon,
aeth Daniel Jones, mab Robert Jones,
Rhos-lan, ati i gyhoeddi yn 1795
*Grawnsyppiau Canaan neu
Gasgliad o Hymnau, gan mwyaf o
waith y diweddaf Barchedig Mr
William Williams, sef Pigion o'i
holl lyfrau cynganeddol ef, ac o
rhai awdwyr eraill,* ac argraffwyd y
gyfrol gan J. Gore yn Castle Street.
Dyma'r gymdeithas yn Pall Mall yn
1799 a ddewisodd Peter Jones (Pedr
Fardd) yn flaenor, ac er i'r berthynas
rhwng yr eglwys a Phedr Fardd fod
yn stormus ar adegau, eto fe
gyfrannodd y gŵr dawnus yn helaeth
i emynyddiaeth Gymraeg. Felly hefyd
John Roberts (Minimus), Eleazar
Roberts, Gwilym Hiraethog, J. D.
Vernon Lewis a Moelwyn.

Ar ôl i'r capeli hyn gael eu sefydlu a
thyfu mewn nifer, fe gafodd y

E. Emrys Jones

Bedd Gwilym Hiraethog ym mynwent Smithdown Road

Glannau do ar ôl to o weinidogion cwbl arbennig, a llu ohonynt yn feirdd-bregethwyr ac yn llenorion. Ymysg y beirdd-bregethwyr mae'n rhaid rhoi lle blaenaf i'r canlynol:

William Rees (Gwilym Hiraethog). Dyma ymgorfforiad o'r *polymath* Cymraeg - gwleidydd, newyddiadurwr, bardd a llenor, heddychwr, un o arloeswyr y nofel, tad y ddarlith, seryddwr ac emynydd. Yn ei ddydd y mae'n debyg y byddai Cymry Lerpwl yn cyfrif gweinidog Tabernacl, ac ar ôl hynny Salem yr Annibynwyr, yn fardd-bregethwr. Erbyn heddiw nid felly. Ond y mae swm ei farddoniaeth yn dychryn pob beirniad llenyddol. Cyhoeddwyd *Gweithiau Barddonol Gwilym Hiraethog* yn 1855 yn ystod ei arhosiad yn Lerpwl, a cheir yn y gyfrol ei awdl i heddwch, sy'n cynnwys cywydd i'r gof sy'n haeddu ei le ymhob blodeugerdd Gymraeg, a hefyd ei arwrgerdd faith ar y mesur

di-odl ar y testun 'Emmanuel'. Ond yr unig ddarn o'i waith sy'n fythol wyrdd yw ei emyn 'Dyma gariad fel y moroedd' - er fod ei gynnyrch ym myd rhyddiaith, *Llythyrau'r Hen Ffarmwr* a *Helyntion Bywyd Hen Deiliwr* yn hynod o ddarllenadwy. Mae teyrnged Syr Thomas Parry yn werth ei ddyfynnu:

Y mae'r llythyrau'n llawn o ddoniolwch ac asbri, a cheir weithiau bytiau o ymgom sy'n profi'r hyn a welir yn amlycach yn llyfrau eraill Hiraethog, sef ei fod ef, ar ei orau, cystal lluniwr ymgom bob tipyn â Daniel Owen ei hun......Y mae'r llythyrau'n waith dyn a allai gynhyrchu nofelau go dda.

Ac o'r un enwad y daw'r enghraifft nesaf, sef Pedrog. Gŵr heb lawer o gymwysterau addysgol oedd John Owen Williams, ond fe welodd yr Annibynwyr yn Kensington, Lerpwl, yn dda ei ordeinio yn 1884, a bu yno yn fawr ei weithgarwch, yn ei unig eglwys, am 46 o flynyddoedd. Gŵr eisteddfodol, brwdfrydig oedd Pedrog; enillodd y Gadair yn yr Eisteddfod Genedlaethol dair gwaith - yn Abertawe (1891), Llanelli (1895) a Lerpwl (1900), a bu'n un o feirniaid yr Eisteddfod Genedlaethol yn gyson. Cofir amdano fel Archdderwydd o 1928 hyd 1932. Yn wir, gellir dweud am Pedrog iddo ennill mwy o gadeiriau eisteddfodol na'r un bardd na chynt nac wedyn - ar wahân efallai i Carrellio Morgan yn sir Aberteifi a William Richard (Alfa, 1876 - 1931) yng Nghwmtawe - ac roedd yn englynwr gwych. Mae ei englyn 'Y Rhosyn a'r Grug' yn anfarwol.

I'r teg ros rhoir tŷ grisial - i fagu
Pendefigaeth feddal;
I'r grug dewr y graig a dâl —
Noeth weriniaeth yr anial.

Ac ystyried bod Gwasg y Brython yn ei anterth, mae'n rhyfedd na chyhoeddwyd casgliad o'i waith, ond canodd un o feirdd y Glannau, Robert Owen Hughes, yn hyfryd iddo:

Pedrog, goronog arweinydd - a llwyr
Ym myd llên a chrefydd
Iraidd deyrn i feirdd y dydd
A thra hynaws athronydd.

Bardd-bregethwr y tueddir i'w anghofio yw John Hughes (1850-1932), cyfoeswr i Pedrog a gweinidog

John Thomas

Fitzclarence Street. Bardd dwyieithog oedd John Hughes, a chyhoeddodd gyfrol Saesneg, sef *Songs in the Night*, ac un Gymraeg, sef *Dan y Gwlith* (1911). Ond yr oedd John Hughes yn fwy o bregethwr nag o fardd, er bod ei gerddi'n haeddu astudiaeth lawn am eu techneg.

Deil Dr John Gruffydd Moelwyn Hughes yn enw cyfarwydd i'r Cymry ar y Glannau fel emynydd, ac y mae gennym dipyn o hawl arno gan iddo weinidogaethu o 1917 hyd 1936 yng Nghapel Parkfield, Penbedw. Ymddiddorodd yn fawr, fel Gwilym Hiraethog a Saunders Lewis, yn hanes ein prif emynydd, William Williams o Bantycelyn, a chyhoeddodd gyfrol o'r enw *Pedair Cymwynas Pantycelyn*, lle mae'n gwrthwynebu dehongliad Saunders Lewis o William Williams yn ei gyfrol *Mr Saunders Lewis a Williams Pantycelyn* a gyhoeddwyd ym 1928.

Yn ein cyfnod ni, dylid cyfeirio at gyfraniad amlochrog R. Maurice Williams a fu am saith mlynedd ar hugain yn weinidog capeli Presbyteraidd Waterloo a Southport. Mab i fardd a thelynor o Fethesda, yn Arfon, Ap Eos y Berth, oedd R. M., ac yn fy nhyb i, y mae ei englyn i Iwerddon yn taro deuddeg:

Er hardded yr Iwerddon - yn ei chân
Mae ochenaid weithion
Dros lew ryfygus ddewrion
Yr ynys alarus lon.

Ymysg y llenorion o fyd y

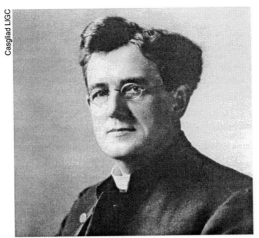

Casgliad LlGC

Y Parch Ddr J.G. Moelwyn Hughes

weinidogaeth Ymneilltuol mae'n
rhaid cydnabod cyfraniad y canlynol:
    Yn gyntaf y brodyr Owen a John
Thomas. Gorchest lenyddol fawr
Owen Thomas yw *Cofiant John
Jones Talsarn* a gyhoeddwyd yn
1874. Dyma'r cofiant hwyaf yn yr
iaith Gymraeg, ac fel y dangosodd ei

Y Parch R. Maurice Williams

ŵyr athrylithgar Saunders Lewis, y
mae'n garreg filltir yn hanes y cofiant
Cymraeg. Cyhoeddodd hefyd gofiant
Henry Rees, Chatham Street (brawd
Gwilym Hiraethog), nad yw cystal
bywgraffiad ag un John Jones, ond
sy'n werth ei ddarllen. Gellir edrych
ar ei frawd, John Thomas (1812-92),
fel un o arloeswyr y nofel Gymraeg

Dr Tom Richards

gyda'r nofel a gyhoeddodd yn *Y Tyst*
a'r *Dydd* yn 1879 yn dwyn y teitl
'Arthur Llwyd y Felin', ac a
gyhoeddwyd yn y gyfrol yn ddiweddarach,
yn 1893. Roedd John Thomas yn
edmygydd eithafol o Charles
Dickens, a cheisiodd yn
aflwyddiannus ei efelychu, ond fe
wnaeth gyfraniad mawr fel
newyddiadurwr a golygydd. Ei fai
mawr, yn ôl Michael D. Jones, oedd
iddo geisio 'Liverpooleiddio Cymru'.
Nid ef oedd y cyntaf na'r olaf i geisio
gwneud hynny!

Parch Griffith Ellis, Bootle

Edmygydd mawr o Owen Thomas oedd Griffith Ellis (1844-1913), gweinidog Stanley Road, Bootle am 38 o flynyddoedd, ac mae'n rhaid rhoi lle iddo ef am iddo gynhyrchu cymaint o lenyddiaeth. Mae'n sicr mai ei waith mwyaf poblogaidd oedd ei gofiant i W.E. Gladstone a gyhoeddwyd yn 1898. Bu galw cyson am y cofiant hwn, a llwyddodd yn well nag a wnaeth gyda'i gofiant i'r Frenhines Fictoria a gyhoeddwyd yn 1901. Y mae portread y Dr Tom Richards, a dreuliodd y blynyddoedd 1905 hyd 1911 yn athro yn Bootle, o Griffith Ellis a'i gof eliffantaidd, yn un o'r cameos llenyddol gwerthfawr - ac yr oedd Dr Tom yn feistr ar y cyfrwng hwnnw. Roedd Dr Tom, fel llawer o Gymry'r Glannau, yn hoff

iawn o wylio pêl-droed. Ei hoff dîm ef oedd Lerpwl, ond cydnabu: 'Y mae'n lled debyg pe ceid "ballot" ar bleidwyr y ddau glwb ymhlith Cymry'r Glannau, mai Everton âi â hi, a hynny o gryn dipyn.' Yn yr un cylch, gŵr arall a gafod ei anfarwoli yn rhyddiaith garlamus y Dr Tom Richards yw'r Parchedig Peter Williams a adwaenir ym myd yr eisteddfod fel Pedr Hir (1847-1922), gweinidog y Bedyddwyr yn Balliol Road, Bootle, o 1897 hyd ei farw yn 1922. Dyma un o brif eisteddfodwyr ei oes; ef a Pedrog oedd prif gynheiliaid Glannau Mersi yng

Dr D. Tecwyn Evans

Ngorsedd y Beirdd yn ystod chwarter cyntaf y ganrif. Cystadleuodd hefyd am gyfnod hir, a gwerthfawrogid ei anerchiadau cryno o'r Maen Llog.

Rhaid rhoddi lle yn y fan hon i un o weinidogion amlycaf y Wesleaid

Marian Delyth

Y Parch Athro Harri Williams

Y Parch Iorwerth Jones

Ddaeargryn Fawr, sef hunangofiant dychmygol am fywyd a gwaith Sören Kierkegaard, yr athronydd, y llenor a'r diwinydd o Ddenmarc. Dyma un

Cymraeg, sef David Tecwyn Evans (1876-1957) a fu'n weinidog ar y Glannau o 1914 i 1919. Bu'n pregethu ac yn darlithio cyn amled ar y Glannau ag un lle. Profiad Tecwyn, yr emynydd a'r gramadegydd, oedd 'Cynulleidfaoedd astud, effro, meddylgar a brwdfrydig.' Y mae ei gyfrol *Yr Iaith Gymraeg* a gyhoeddwyd yn 1911 gan Wasg y Brython yn hynod o berthnasol o hyd. A chynnyrch bwrlwm crefyddol a llenyddol y capeli hyn yw rhai o'n prif lenorion yn y ganrif hon. Enwaf bump ohonynt: mae tri yn dal ar dir y byw.

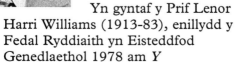

O.E. Roberts

Yn gyntaf y Prif Lenor Harri Williams (1913-83), enillydd y Fedal Ryddiaith yn Eisteddfod Genedlaethol 1978 am *Y*

o'n llenorion praffaf, a chynnyrch Capel Douglas Road, Lerpwl, ydyw. Meddai Harri Williams ddawn fawr i ddweud llawer mewn byr eiriau, a gweledigaeth werth chweil oedd ei wahodd ef a'r Prif Lenor O. E. Roberts i lunio esboniad ar lyfr Genesis. Cafwyd cyfrol lenyddol ei naws o dan y teitl *Y Creu a'r Cadw*, ac mae iddi agoriad difyr i ddal ein diddordeb. Dyma fachgen yn troi at ei dad wedi gweld rhaglen Fred Hoyle ar y teledu ac yn gofyn: 'Nhad, prun sy'n iawn, Fred Hoyle ynteu Genesis?' Os yw'r tad yn un doeth fe etyb: 'Y ddau, 'machgen i, yn eu dull eu hunain.'

Yn ail, y diweddar Barchedig Iorwerth Jones, Gorseinion, awdur y gyfrol hunangofiannol *Dyddiau Lobsgows yn Lerpwl*, yn disgrifio cyfnod rhwng y ddau Ryfel Byd.

Gwerth y gyfrol ddifyr hon yw ei bod, yn ddiarwybod megis, yn herio damcaniaeth haneswyr syniadau fel Gareth Miles a D. Tecwyn Lloyd sy'n dadlau yn eu hastudiaethau o Saunders Lewis mai perthyn i'r dosbarth canol oedd Cymry Lerpwl.

Y Parch D. Emrys James, 'Dewi Emrys', a enillodd yn yr Eisteddfod Genedlaethol yn Lerpwl yn 1929

Y mae Iorwerth Jones yn dangos fod llu o Gymry diwylliedig - cyffredin eu gwaith, fel docwyr - yn byw yn Kirkdale a Bootle. Perthyn i'r dosbarth gweithiol oedd y gymdeithas Gymraeg yng Nghapel Great Mersey Street, capel a gafodd Peter Price, J.H. Williams a Simon B. Jones (un o fois y Cilie) yn weinidogion arno. Ond methodd Simon B. Jones aros yn hir yn Lerpwl, yn fwy nag a wnaeth Dewi Emrys. Dyma eiriau Iorwerth Jones am ei gymuned:

'Gwrêng nid bonedd a geid yn Great Mersey Street fel Trinity Road, Bootle.'

Ond o'r gymdeithas honno cafwyd llenor cyffrous - a phigog ar adegau - fel Iorwerth Jones, un o olygyddion medrusaf ein canrif.

Cynnyrch Capel Presbyteraidd Cymraeg Edge Lane yw'r ddau nesaf, sef y Prifardd Emrys Roberts a Namora Williams. Mab i fardd, John Henry Roberts (Monallt), yw Emrys Roberts, gŵr a ddotiodd gymaint at awdl Dewi Emrys a gipiodd Gadair Eisteddfod Lerpwl yn 1929 nes penderfynu enwi'r mab a anwyd yn Awst, 1929, ar ôl y bardd bohemaidd hwnnw. Ac fe syrthiodd dawn ei dad a dawn Dewi Emrys fel beirdd yn helaeth arno. Mae cyfrol y mab am ei dad fel bardd, sef *Monallt: Portread o Fardd Gwlad*, yn gwbl anghyffredin ac unigryw yn ein llenyddiaeth, ac yn egluro'r berthynas glòs rhyngddynt. Ac y mae ganddo gerddi yn *Gwaed y Gwanwyn* sy'n sôn am ei blentyndod yn y ddinas, megis y gerdd anghyffredin i Gymraes:

Roedd gwawd yn llygaid meistriaid gwaith
Yn Lerpwl y trysorau
O'th weld yn ffwndrus ar dy daith
A'th barsel bach o lyfrau.

Pwy ond athrawes hanner call
A âi heb dâl, mor rhadlon,
Foreau Sadwrn yn ddi-ball
I festri'r capel estron?

Ninnau y plant fu mor ddi-barch
O'th aberth, Siprah ffyddlon,
Yn dwyn i fan y llwch a'r arch
Risial fywiogrwydd afon.

Be wyddem ni am orthrwm erch
Pwerau i'n dinistrio?
Ond dwfn yng nghalon unig merch
Oedd creithiau y caethiwo.

Fe'n molchaist â'r Gymraeg yn lân,
A'n hymgeleddu'n ddyfal
Â'r Mabinogion, ac â chân
Dy lais fu'n faeth i'n cynnal.

Ni wyddem am y trysor coll
Yn Israel dy atgofion,
Canys yn yr Aifft y'n ganed oll
Fu'n gwrando mor anfodlon.

Heddiw ni wn i yn fy myw
O fydwraig bur, heb chwerwi,
Pa sut y cedwaist ni yn fyw'n
Y gaethglud ddidosturi.

Ond gwn, pan chwarddem tan ein gwynt
Yn greulon ein direidi
Ple 'roedd dy feddwl dithau gynt
Wrth syllu trwy'r ffenestri.

Dr Emyr Wyn Jones

Olwen Williams ar ei gwyliau ym Moelfre yn 1934 gyda Harri Willi...

Cerdd afaelgar yn tanlinellu'r pwynt a wnes i'n gynharach am yr alltud. Ynddi ceir cyferbyniad rhwng rhyddid a chaethiwed Israel a'r Aifft, a chyffelybir yr athrawes (un o ferched Douglas Road, Olwen Jones, a ddaeth yn ddiweddarach yn briod i'r Prif Lenor Harri Williams) i Siprah, un o fydwragedd yr Hebraesau yn yr Aifft a gadwodd fechgyn fel Moses yn fyw er iddi gael gorchymyn gan Pharo i'w lladd.

Cefais flas mawr hefyd ar gyfrol un arall o blant Edge Lane, sef Namora Williams. Ganwyd Namora yn Lerpwl, ei thad o'r Groeslon a'i mam o Nantmor. Derbyniodd ei haddysg

Merch Olwen Williams gyda taid a nain, Mr a Mrs R.J.Jones yn yr Eisteddfod Genedlaethol

ym Mhrifysgol Lerpwl a bu'n dysgu yn ysgol Merchant Taylor's. Yn 1986 cyhoeddodd astudiaeth werthfawr o un o werinwyr diwylliedig ein canrif, sef *Carneddog a'i Deulu*. Gem o

gyfrol. A'r pumed yw'r Dr Emyr Wyn
Jones, mab y Mans, blaenor yn
Chatham Street ac un o feddygon
disgleiriaf ein canrif, a fu'n
gysylltiedig ag Ysbyty Brenhinol
Lerpwl o 1928 hyd ei ymddeoliad yn
1972. Ond roedd yn ŵr a chanddo
ysfa lenyddol gref, ac yr ydym yn fawr
ein dyled iddo am ysgrifau ar John
Thomas, Cambrian Gallery, Lerpwl a
Richard Williams, Penbedw a'i gyd-
arloeswyr; dyma ysgrifau bywiog a
dadlennol ar ein hanes fel Cymry'r
Glannau, i enwi dim ond dau
gyfraniad ymysg ugeiniau.

Ond yr oedd canllawiau eraill
heblaw capeli i gynorthwyo'r rhai a
gynysgaeddwyd â dawn a diddordeb
yn ein hetifeddiaeth. Rhaid cyfeirio
yn ail at:

Hedd Wyn

2. Ein Traddodiad Eisteddfodol

Roedd yna draddodiad eisteddfodol
cryf yn yr ardal - traddodiad y
Gordofigion, yr eisteddfodau lleol,
heb anghofio am ddyfodiad yr
Eisteddfod Genedlaethol i Lerpwl yn
1884, 1900 a 1929, ac i Benbedw yn
1917. Daeth yr olaf yn enwog, wrth
gwrs, oherwydd cysylltiad y bardd-
filwr Hedd Wyn â hi. Un o gyn-
weinidogion Bootle, Dewi Emrys, a
enillodd y Gadair yn y Genedlaethol
yn Lerpwl yn 1929 ar y testun
'Dafydd ap Gwilym'. Digon i
ddangos ei ddawn yw dyfynnu
cwpled o'r awdl:

> *A'r hen ywen o'r newydd*
> *Yn ddüwch ar degwch dydd.*

Enghraifft dda o eisteddfodwr pybyr
yn hanes Lerpwl yn y
bedwaredd ganrif ar
bymtheg yw David
James (Dewi o
Ddyfed, 1803-71).
Yn 1836 cafodd
fywoliaeth Kirkdale,
Lerpwl, ac arhosodd
yno am ddwy flynedd
ar bymtheg cyn
symud i fod yn
warden Coleg
Llanymddyfri yn
1853. Yr oedd yn ŵr
reit adnabyddus ar
lwyfan yr eisteddfod,
ac yn perthyn i'r
personiaid llengar fel
Ifor Ceri ac eraill a
adfywiodd y

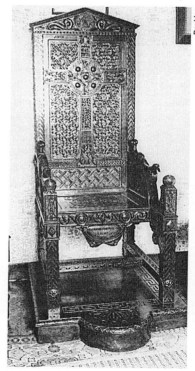

Y Gadair Ddu

Yr adeiladydd Cymraeg o Birkenhead, David Evans, a roddodd y gadair ar gyfer yr Eisteddfod Genedlaethol yn 1917

Casgliad John Thomas

Corfanydd

traddodiad eisteddfodol yn nhridegau'r ganrif ddiwethaf.

Ac un o eisteddfodau pwysicaf y bedwaredd ganrif ar bymtheg oedd Eisteddfod y Gordofigion. Un o'r arloeswyr oedd y teiliwr o Fôn, Evan Evans, a ddefnyddiai'r ffugenw Eta Môn. Fe ddaeth i Benbedw o Fethesda yn 1865 gan alw ynghyd ei gyd-Gymry llengar fel William Owen i ffurfio Cymdeithas Gymreig a roddodd fod i gymdeithas lengarol y Gordofigion. Enillai William Owen, a oedd yn enedigol o Lanfair Mathafarn Eithaf, ei fywoliaeth fel Ysgrifennydd Bwrdd Lleol Tranmere. Rhoddodd flynyddoedd o wasanaeth fel Ysgrifennydd y Gordofigion, eisteddfod a fu'n llwyfan i feirdd o Gymru ac o'r Glannau. Enillodd Richard Davies (Tafolog) y brif wobr yn Eisteddfod y Gordofigion am awdl ar y testun 'Gweddi'. Rhamantydd o fardd, a lladmerydd mudiad y Bardd Newydd oedd Tafolog, a gosodwyd bri ar yr eisteddfod drwy lwyddo i gael beirniaid fel Nicander i ddod i Lerpwl. Roedd y llenorion, hefyd, yn cael eu cyfle. Dyna Robert Herbert Williams (Corfanydd), awdur y dôn 'Dymuniad'. Cadwai ef siop ddillad yn Basnett Street ar gongl Williamson Square, ac enillodd wobr sylweddol yn Eisteddfod y Gordofigion yn 1869 am ei draethawd ar Gymry Lerpwl, eu diffygion a'u rhagoriaethau.

Yn y dauddegau cafodd Lerpwl ragor o eisteddfodau, fel yr eisteddfod a gynhelid o dan nawdd Undeb y Ddraig Goch. Dyma gyfnod euraid yr englynwyr, a'r prif enw yn eu plith yn sicr oedd Gwilym Deudraeth. Gweithiai mewn warws gotwm, fel Monallt, ond dilynai ddosbarthiadau J. J. Williams, Is-gyfarwyddwr Addysg Penbedw. Bardd yr awen barod oedd Gwilym Deudraeth.

Wele glân yw Wil y Glo, - y Sabbath,
Ag ôl sebon arno;
Ac onid gwyn Ned y Go
Yn y sêt nesa ato?

Casgliad John Thomas

Mynediad i'r Eisteddfod Genedlaethol yn 1884

Casgliad LlGC

Nicander

Rhy boeth, eiriasboeth yw'r hin - i d'aros
Dirion Fab y Brenin;
Dyro er mwyn dy werin
Canada Dock yn dy Din.

A dyma'i englyn am fywyd y warws gotwm:

Annifyrrwch hen furiau - adawaf,
Wel, diolch am Suliau,
Annhirion fyddai'n horiau
Heb week-end i'n bywiocáu.

Dywed gyfrolau. Gallai, fel Dic Jones, Blaen-porth, englynu yn Saesneg. Dyma gwpled i'r Bwci:

But after a bitter bet
The bookie kicked the bucket.

Claddwyd Gwilym Deudraeth ym mynwent Allerton ym mis Mawrth, 1940, a hyd yn hyn ni chafodd garreg fedd. Bu hyn yn ofid i lengarwyr fel yr englynwr R. J. Roberts, Deepfield Road, a lluniodd ef englyn am fedd digarreg Gwilym Deudraeth:

Daw iasau o weld isod - ei ddu ro,
Fardd yr awen barod,
Cawr y glec, oer yw ei glod,
Dewin englyn dan anghlod.

Englynion cymdeithasol yw llawer ohonynt, ac englynion ar gyfer cystadlaethau mewn eisteddfodau. Y mae rhai o'i englynion bellach yn rhan o'n llên gwerin, fel yr englyn i 'Canada Dock'. Roedd Tywysog Cymru wedi dod i'w agor, ac roedd hi'n ddiwrnod poeth iawn. Doedd dim amynedd gan Gwilym i aros, felly lluniodd yr englyn canlynol:

A does dim gwell disgrifiad ohono i'w gael na'r hyn a ddywedodd R. J. Roberts - dewin yr englyn. Meddylier am ei englyn cofiadwy ar y stryd yn Lerpwl, ac yntau'n rhedeg ar ôl tram. Yn methu ei ddal, sylweddolodd ei fod yntau fel pawb ohonom yn mynd yn hŷn:

Rhyw yrru ar i waered - mae 'nyddiau,
Mae'n weddus ystyried;
Yr wyf finnau ar fyned - fel hen gi -
Rhy hen i gorddi, rhy wan i gerdded.

Daw oriau o hyderu - neu bleser
O'r blysiog ddarparu,
Yna daw erch gwmwl du
Awr dinistr i'n syfrdanu.

Ond yr athro barddol yn eu plith oedd William Morgan (Collwyn), gŵr o Garno, sir Drefaldwyn, ac awdur englyn godidog iawn i'r emynyddes o Ddolwar-fach, Ann Griffiths:

O'i dawn a'i thanbaid ynni - fe rannodd
Fêr ei henaid inni;
Erys dros byth heb oeri
Farworyn ei hemyn hi.

A hawdd y gallai Monallt, ar ei ran ef a Gwilym Deudraeth a'r beirdd eraill, ganmol Collwyn. Dyma'r englyn iddo:

Cerdd Dafod a'i melodedd - a garodd,
A chrefft geiriau glanwedd;
Rhy erwin rhoi i orwedd
Athro fy iaith i oer fedd.

O. Trevor Roberts

Ac fe'i rhoddwyd i orwedd ym mynwent Anfield ar ddiwrnod oer, 26 Ionawr 1952. Gellid enwi llawer eraill o'r un nwyd â'r rhain, a hefyd llenorion fel y Parchedig D. D. Williams, Belvedere Road, gŵr y cyhoeddodd yr Eisteddfod Genedlaethol beth o'i waith, ac yn ddiweddarach y mwyaf toreithiog ohonynt, O. Trevor Roberts (Llanowain), awdur rhai o englynion gafaelgar ein dyddiau ni, a phedair cyfrol o farddoniaeth. Y mae ei englyn i 'Siom' yn un o englynion mawr yr iaith.

3. Y Wasg

Y trydydd canllaw yw'r wasg a thai cyhoeddi, ac un ffigur sy'n haeddu cael ei grybwyll yw Isaac Foulkes (1834-1904) a'i galwai ei hun yn llyfrbryf. Dyma ŵr amlochrog arall - cyhoeddwr, newyddiadurwr a llenor. Sefydlodd ei wasg ei hun yn 1862, ac mae'r cyfrolau a gyhoeddodd yn werth eu cael am eu bod yn hardd ac yn ddefnyddiol, yn arbennig *Enwogion Cymru* a gyhoeddwyd yn 1870, a'i gofiannau yntau i'r bardd Ceiriog a'r nofelydd Daniel Owen. Gwnaeth ddiwrnod da o waith, ac mae'n bwysig, fel John Thomas a Gwilym Hiraethog, fel un o arloeswyr y nofel Gymraeg, gyda'i nofelau *Rheinallt ap Gruffudd* a gyhoeddwyd yn 1874 a *Y Ddau Efell* a gyhoeddwyd flwyddyn yn ddiweddarach. Talodd J. Glyn Davies, un arall o gynnyrch bywyd Cymraeg Lerpwl, deyrnged uchel i'r papur a gyhoeddai, sef *Y Cymro*, am ei arbed ef rhag colli ei ffydd yn y Gymraeg a chredu, fel sy'n medru digwydd, nad oedd dim byd yn digwydd yn y Gymraeg os nad oedd wedi ei gyflwyno ar ffurf grefyddol. A bu beirdd fel T. Gwynn Jones ac R. J. Rowlands (Meuryn) yn bwrw'u prentisiaeth ar bapurau Cymraeg Lerpwl. Yn wir bu Meuryn ar Lannau Mersi o 1903 hyd nes y symudodd i Gaernarfon yn 1921, y flwyddyn yr enillodd Gadair y Genedlaethol am ei awdl odidog 'Min y Môr'. Nid rhyfedd i'r beirniad ddotio at yr englynion a geir yn yr awdl.

Gallwn dalu teyrnged cyffelyb i'r papurau a ddilynodd *Y Cymro*,

Isaac Foulkes

T. Gwynn Jones, ewyrth y diweddar Miss Gwen Davies, Brodie Avenue, Mossley Hill

yn arbennig *Y Brython*. Sefydlwyd y papur yn 1906 gan Hugh Evans ar gyfer Cymry Lerpwl, ond mewn

R. J. Rowlands

amser byr fe ddaeth yn bapur cenedlaethol. John Herbert Jones, a adwaenid fel Je Aitsh, oedd y

Gwilym R. Jones

golygydd cyntaf, a gwnaeth gryn lawer i sicrhau llwyddiant y papur. Meddai ar arddull unigryw fel llenor a chyhoeddwyd cyfrolau o'i ysgrifau.

Llwyddodd i ddenu llenorion amlycaf Cymru i gyfrannu'n gyson, ac roedd y papur yn gyfle i'r beirdd lleol fel Gwaenfab, Richard Hughes, Owen Parry (Gwnus), Robert Parry (Madryn), R. Lloyd Jones (Llwydno), Rolant Wyn a J. R. Morris, arddangos eu cynnyrch. Fe olynwyd Je Aitsh yn 1931 gan Gwilym R. Jones, gŵr a roes naws fwy gwleidyddol, realistig a chyfoes i'r papur, a daliodd ati hyd nes y bu'n rhaid iddo roi'r gorau iddi ar ddechrau'r Ail Ryfel Byd. Cyhoeddodd Gwilym R. ei gyfrol gyntaf o farddoniaeth yn ystod ei arhosiad yn Lerpwl, ac enillodd ei unig Gadair Genedlaethol yn ystod y cyfnod hwnnw hefyd. Cyflawnodd yr orchest honno yn 1938 am ei awdl 'Rwy'n Edrych Dros y Bryniau Pell', ac i un o'r beirniad T. Gwynn Jones roedd camp arbennig ar y cywyddau yn yr awdl, ac i Saunders Lewis yr hir-a-thoddaid oedd ei gyfrwng fel bardd. Ond ni bu Cymry'r Glannau heb eu cylchgrawn, a chafwyd *Y Glannau* dan olygyddiaeth R. Emrys Evans, *Y Bont* dan olygyddiaeth R. Maurice Williams, ac fe enillodd dau o'r bwrdd golygyddol (O. E. Roberts a Gwilym Meredydd Jones) y Fedal Ryddiaith. Parheir y traddodiad cyhoeddi yn Gymraeg gan *Yr Angor* a Chyhoeddiadau Modern Cymreig, diolch iddynt am gyhoeddi cyfrolau awduron lleol fel *Munud i Ateb*, sef cyfrol o gwestiynau ac atebion gan y diweddar Derek Vaughan Jones, Allerton.

4. Cymru

Y pedwerydd canllaw oedd Cymru, fel gwlad oedd yn meithrin llenorion

y Glannau, oherwydd roedd treulio wythnosau o'r gwyliau yng Nghymru yn gloywi Cymraeg y bechgyn a'r merched ifanc. Un o broblemau mwyaf Cymry Cymraeg alltud yw trosglwyddo'r Gymraeg i'w plant, a gofynnodd Goronwy Owen gwestiwn perthnasol iawn cyn cyrraedd Walton:

Are we the only people in the world that know not how to value so excellent a language?

Ac yr oedd clwyf yr alltud arno yntau. Ysgrifennai'n fympwyol, yn aml yn Saesneg (neu weithiau defnyddiai frawddegau cymysg, hanner Cymraeg a hanner Saesneg), ond credai, fel y gwnaeth Cymry'r Glannau mewn oes ddiweddarach, mai'r unig ffordd i ddiogelu'r Gymraeg oedd anfon y plant i Gymru am gyfnodau, neu symud yn ôl i fyw yno. Ysgrifennodd at ei gefnder, John Rowlands, Clegyr Mawr, Môn, ar 18 Mawrth 1754, gan fynegi ei bryder:

Etto pe cawn le wrth fy modd, mi ddeuwn iddi etto, er mwyn dysgu Cymraeg i'r plant, onide hwy fyddant cyn bo hir yn rhy hen i ddysgu; oblegid y mae'r hynaf yn tynnu at chwe blwydd oed, heb fedru etto un gair o Gymraeg, ac yn fy myw ni chawn ganddo ddysgu onibai ei fod ymysg plant Cymraeg i chwarae, ac ni fedd ei fam ddim Cymraeg a dal sôn amdano ond tipyn a ddysgais iddi.

Gwelodd eraill ar y Glannau yr un broblem, a dyna pam y cafodd llenorion Cymraeg a fagwyd ar y Glannau fagwraeth ychwanegol yng Nghymru yn ystod misoedd yr haf. Roedd gan Harri Williams, Saunders Lewis a Gweneth Lilly gysylltiadau teuluol ag Ynys Môn, a symudodd rhieni Marion Eames o Benbedw i Ddolgellau pan oedd hi'n fechan. Sonia Emrys Roberts amdano'i hun yn mynd i ardal y Bala, ac Iorwerth Jones i Gynwal a Ffestiniog. Ond yr enghraifft orau yw John Glyn Davies (1870-1953), ŵyr John Jones, Talsarn, a brawd i'r anfarwol George M. Ll. Davies. Ganwyd ef yn 55 Peel Street, a bu'n bennaeth Adran Geltaidd Prifysgol Lerpwl o 1920 tan 1936. Dau ddylanwad mawr ar J.

Glyn Davies oedd Isaac Foulkes, a'i weinidog, Dr John Williams, Princes Road, ond y prif ddylanwad oedd gwlad Llŷn, a dyma fynegi ei brofiad:

Ni fedrwn fyth ddisgrifio fy ngorfoledd wrth ddeffro'r bore cyntaf (o wyliau) yn Edern. Yr oedd cyfaredd ym mhob carreg, ym mhob blewyn glas, a chlochdar yr ieir fel sŵn telynau'r nefoedd, a sŵn afon yn fwy swynol fyth. A chlywed Cymraeg o enau pawb! Yr oeddwn yn gwirioni. Mae'r swyn yn dal o hyd wrth gofio'n ôl.

Crynhôdd y swyn yn ei englyn i 'Lleyn':

Heulwen ar hyd y glennydd - a haul hwyr
A'i liw ar y mynydd;
Felly Lleyn ar derfyn dydd
Lle i enaid gael llonydd.

John Glyn Davies

Ac yn sgil y profiad hwn cawsom rai o gerddi mwyaf hiraethus yr iaith, sef cronicl y daith dros y môr o Lerpwl i Lŷn, er enghraifft, 'Ar Fôr i Leyn':

Sŵn cloch ddwywaith, a'r sgriw yn troi,
A'r corn yn udo;
A'r llong i'r afon; dyma ffoi
O'r ddinas hono.

A cholli golwg cyn bo hir
Ar Lerpwl bygddu
Pan af oddiar y llong ar dir
Bydd yn dir Cymru.

A hefyd y gerdd 'Ar Ôl Darllen Hen Lythyrau Teuluol' lle y cawn gip ar deulu digon da eu byd (mae'n celu'r ffaith i'w dad fynd yn fethdalwr ac na châi eistedd fel cynt yn sêt fawr Capel Princes Road), ac ni allwn ond cael ein cyffwrdd gan ddarlun ohonynt:

Eneidiau anwyl wedi mynd i gyd,
O wedi mynd ers llawer blwyddyn bellach,
A dyma chwi yn ôl, ac yn eich gwrid
I rodio daear eto yn ifengach,
Yn hardd gariadus, unwaith eto i fyw
Yn lle bod oll yn feirwon gyda Duw.

Ychydig o gyffyrddiadau a gawn o'i fywyd yn Lerpwl. Mae'r gerdd i Elinor Rhys, y gantores brydferth fu farw'n ifanc ar drothwy gyrfa ddisglair, yn eithriad:

Clywais i'r byw dy lais ifanc yn canu
Gantreg ym more godidog ei dawn.
Gwrido am fflachiad, ac yna diflannu
Byr oedd dy fywyd, ni welaist brydnawn.

Elinor Rhys, ym mhle wyt ti heno?
Byw yn fy nghof mae dy lendid o hyd.
Tristwch yw gofyn, pwy sydd yn dy gofio:
Byw wyt mewn chwedl, hen chwedl y byd.

Jennie Thomas

E. Tegla Davies

Gwilym M. Jones

Medrodd Glyn Davies fynd i fyd y plentyn yn *Cerddi Huw Puw* (1923), *Cerddi Robin Goch* (1935) a *Cerddi Porthdinllaen* (1936). Ond fe lwyddodd ei ddisgybl, Jennie Thomas (1898-1979), yn well fyth. Cynnyrch Cymry Penbedw oedd hi; ganwyd hi yno, ac yn niwedd ei hoes fe sgrifennodd lyfryn hyfryd ar *Achos Capel Woodchurch Road* lle cafodd ei magwraeth Gymraeg. Llwyddodd Jennie Thomas, gyda J. O. Williams, i roi i blant Cymru glasur o gyfrol, *Llyfr Mawr y Plant*, ac fe ddaeth Siôn Blewyn Coch a Wil Cwac Cwac yn ffrindiau oes. Un arall a fu'n hynod o lwyddiannus fel llenor plant oedd Edward (Tegla) Davies (1880-1967). Y mae ei lyfrau plant yn adnabyddus iawn: *Nedw* (1922); *Y Doctor Bach* (1930), a'i nofelau *Gŵr Pen y Bryn* a *Gyda'r Glannau* yn dal i ddenu. Bu'n weinidog Wesle ym Mynydd Seion ac y mae ei ferch, Gwen Vaughan Jones, wedi rhoddi

oes o wasanaeth i Ysbyty'r Merched yn Catherine Street.

Ac yr ydym wrth sôn am Tegla ymysg y meistri llenyddol. Cyfeiriais at dri ohonynt eisoes, sef O.E. Roberts, Gwilym M. Jones a Gweneth Lilly, a rhaid dweud gair byr am y rhain cyn gorffen gyda'r meistr ei hun, Saunders Lewis. Cofiwn iddo ef yn un o'i ysgrifau dalu teyrnged haeddiannol iawn i gyfraniad cwbl arloesol O. E. Roberts. Yn wir, cawsom ysgrifennu da yn yr iaith Gymraeg ar bynciau gwyddonol gan Gymry Lerpwl, o ddyddiau Benjamin Davies, cynorthwyydd Syr Oliver Lodge ym Mhrifysgol Lerpwl, yr Athro Gwilym Owen a fu ar staff prifysgolion Seland Newydd a Chymru, ac O. E. Roberts hyd at Dr Glyn Roberts a'r Athro Huw Rees yn ein dyddiau ni. Y mae Gwilym M. Jones wedi trosglwyddo gryn dipyn ar wythïen na chafodd ei defnyddio, sef bywyd y Glannau.

Gweneth Lilly

Saunders Lewis

Mae Gwilym M. Jones yn mynd i'r afael â Lerpwl y saithdegau, yn enwedig yn *Ochr Arall y Geiniog*, a'r stori wych honno 'Yr Ymwelydd Annisgwyl'.

Owen Pritchard oedd y prifathro. Cymro Cymraeg yn clywed cnoc ar ddrws ei ystafell. Ac mae'n ceisio dyfalu pwy allasai fod yno. Ond i dorri stori'n fyr, pwy oedd yno ond un o'r Scowsiaid, Mrs Murphy, mam Tommy a Sheila. Ac fe gawn wedyn gyfweliad bythgofiadwy. Mae gan Gwilym storïau tebyg yn *Gwerth Grôt* (1983), a chynhyrchodd nofelau *Yr Onnen Unig* (1985) a *Drymiau Amser*, a chyfrol storïau byrion *Chwalu'r Nyth* a gyhoeddwyd ar ôl ei farw. Ei nofel gyntaf oedd yr un seiliedig ar lyfr Ruth, sef *Dawns yr Ysgubau* a gyhoeddwyd yn 1961. Dyma lenor a gyfrannodd yn helaeth i'r bywyd Cymraeg; yr oedd mor barod i gynorthwyo, a bu ei farw sydyn yn golled amhrisiadwy.

Mae'n amhosibl hefyd gwneud tegwch a chyfiawnder â gwaith llenyddol Gweneth Lilly. Fel Gwilym M. Jones, bu hithau'n brysur ryfeddol yn y saith a'r wythdegau fel llenor.

Ysgrifennodd yn helaeth ar gyfer plant a phobl ieuainc, a thyfodd yn un o feistri'r stori fer. I mi, un o'r storïau mwyaf gafaelgar yw 'Y Weddw Alarus' yn y gyfrol *Masgiau*, lle mae'r prif gymeriad, Dafydd Vaughan Evans, yn fy atgoffa o Richard Burton, a Deirdre, a'i gwallt du a'i gwefusau plastig pinc, yn fy atgoffa o Elizabeth Taylor.

Yr ymgais orau i ddisgrifio bywyd y Glannau yw nofel Marion Eames *I Hela Cnau*. Ganwyd hi ym Mhenbedw ac er iddi symud i Feirionnydd yn blentyn, roedd ei theulu yn rhan o'r dref, a disgrifiodd Marion Eames gyfnod diddorol, sef chwedegau'r ganrif ddiwethaf, pan oedd Penbedw ar ei thyfiant. Y thema yw astudiaeth o Gymry a ddiwreiddiwyd, Cymry ifanc a gefnodd ar dlodi.

Ond y meistr llenyddol yw Saunders Lewis. Dyma gynnyrch y Glannau. Mab y mans. Roedd gan ei dad, Lodwig Lewis, ddawn llenor, ac o enau ei dad y cafodd y frawddeg a drysorodd fwyaf:

Ni ddaw dim byd ohonoch chwi nes y dewch chi'n ôl at eich gwreiddiau.

Llenor yn ailddarganfod ei wreiddiau yw Saunders Lewis, ac un a bwysleisiodd werthoedd y gymdeithas Gymraeg gapelyddol. Dyma'i safbwynt yn *Ysgrifau Dydd Mercher*:

Un o'r pethau y mae'n rhaid inni ail afael ynddynt yw pwysigrwydd ofnadwy gwerthoedd ysbrydol, a gwerthoedd ysbrydol yw celfyddyd a llenyddiaeth. Gogoniant a phenyd llenor yw ei fod yn ei draddodi ei hun i'w oes a'i gymdeithas, ac efallai i oesoedd ar ei ôl, i'w farnu a'i fesur, i'w ddilorni hefyd a'i ganmol ar gam; ond o leiaf y mae'n rhoi gorau ei fywyd yn fywyd i eraill ac y mae hyd yn oed yr ymosod arno a'r camddeall yn rhan o'i fyw.

Yr Athro Merfyn Jones

Fe ddaeth y gwerthoedd ysbrydol iddo o'i aelwyd, o'i dras, ac o Gilgwri. Yno yr âi yn ŵr ieuanc ar brynhawniau Sadwrn o bentref henffasiwn Wallasey i Leasowe a Meols, a throi i mewn tuag at Woodchurch neu Moreton ac yn ôl trwy Bidston. Derbyniai swcwr a chysur ym machlud yr haul ac yn ei gymundeb â'r greadigaeth. 'Yr oeddwn yn rhodio mewn eglwys', meddai. A dyma'i brofiad:

Cerddwn felly gan ymddistewi. Yr oedd ymddistewi disgybledig yn dwysâu'n rhyfedd yr ymdeimlad o egni byw. Mynd i mewn i lwyn o goed neu gae a gorwedd ar y glaswellt. Deuai arnaf ansymudrwydd pren. Byddwn yn gwbl effro heb symud gewyn.

Marion Eames, awdur
I Hela Cnau

Ac o'r profiadau hyn, profiadau alltudiaeth a chyfriniaeth y Cymro sensitif ac ysgolhaig mewn llenyddiaeth Saesneg, y cawsom bersonoliaeth a llenor a bardd sydd ymysg 'meistri'r canrifoedd' yn llenyddiaeth ein gwlad.

Mi fyddai llenyddiaeth Gymraeg yn fawr ei cholled heb gyfraniad cwbl arbennig Glannau Mersi. Beth fyddai hanes Cymru heb gyfraniad cyfrolau Syr J. E. Lloyd, Dr Tom Richards a'r Athro T. Jones-Pierce, yr Athro R. T. Jenkins a'r Athro R. Merfyn Jones, a beirniadaeth lenyddol a byd y ddrama heb Saunders Lewis, a byd gwyddoniaeth trwy gyfrwng y Gymraeg heb Gwilym Owen ac O. E. Roberts, a byd y storïau byrion heb gyfraniad Gwilym M. Jones a Gweneth Lilly, a byd y cofiant heb Owen Thomas, a byd y nofel heb Isaac Foulkes, Gwilym Hiraethog a Tegla Davies? Ac ysgolheictod Cymraeg heb gyfraniad Syr Idris Foster a Melville Richards, Simon Evans a Dr Pat Williams, pob un ohonynt wedi treulio blynyddoedd yn yr Adran Gelteg. Y mae'r rhestr yn faith. Ac er nad yw'r bwrlwm yr un fath â chynt, nid yw'r ffynnon wedi sychu, ac nid yw'r awen na'r ysgrif yn gwbl hesb. Y mae'r nofel *I Hela Cnau* yn gorffen gyda Rebecca'n dweud: 'Mi fuost ti'n cerdded yn rhy hir. Well i ti dynnu dy sgidia.' Mi fues inne wrthi'n hir yn ceisio rhoi braslun o stori fawr, ac mae'n bryd i mi yn awr, ar ôl cerdded o Walton i Wallasey, o Toxteth drwy'r twnnel i Benbedw, gau'r mwdwl, a dweud fod yna Ochr Arall i'r Geiniog, a'r ochr honno yw cyfraniad yr alltudion a'u tylwyth i lenyddiaeth Gymraeg.

Cymry Lerpwl a'r Adeiladau

Casgliad John Thomas, Lerpwl

Un o arloeswyr ffotograffiaeth Gymreig oedd John Thomas (1838-1905). Y mae ei hanes cynnar yn rhamant i gyd, gan ddechrau gyda'i benderfyniad i adael Dyffryn Teifi, ei gartref yn Cellan, a'i ddyletswyddau mewn siop ddillad yn Llanbedr Pont Steffan, am Lerpwl, a cherdded yr holl ffordd yno. Bu'n gweithio mewn siop ddillad yn Lerpwl am ddeng mlynedd, o 1853 i 1863, cyn mynd, ar gyngor meddyg, yn drafaeliwr i werthu papur ysgrifennu a ffotograffau. Gwelodd yn fuan yr angen i dynnu lluniau enwogion Cymru; roedd llu o ffotograffau o Saeson ganddo i'w gwerthu, ond prin oedd y Cymry. Penderfynodd newid y sefyllfa, ac er gwaethaf gwrthwynebiad y Cymry Cymraeg yn arbennig i gael tynnu eu lluniau, unwaith y dechreuodd ar ei dasg, buan iawn y daeth ei hobi'n broffidiol. Dechreuodd yn 1863 drwy brynu camera, ac o fewn pedair blynedd roedd wedi agor ei siop ei hun yn 53 Heol St Anne's. Gelwid y siop The Cambrian Gallery, a dyna ddechrau busnes a barhaodd am ddeng mlynedd ar hugain. Un tro, detholodd dros dair mil o'i 'plates' a'u gwerthu am bris rhesymol dros ben i O. M. Edwards a oedd ar fin cychwyn ar ei waith fel golygydd cylchgronau fel *Cymru* - neu *Cymru Coch* fel y'i gelwid - ac ar gyfres werthfawr mewn cyfrolau poced, clawr glas, a elwid *Cyfres y Fil*. Cafodd llawer o luniau John Thomas eu hargraffu yn y rhain. Heddiw, cedwir y casgliad yn y Llyfrgell Genedlaethol, ac yno y cefais gyfle i edrych arnynt a dethol y rhai oedd yn addas ar gyfer eu cynnwys yn y gyfrol hon, sef y rhai a roddai ddarlun o Gymry Lerpwl Oes Fictoria. Ond yr hyn sy'n siomedig am gasgliad John Thomas yw iddo golli cyfle i dynnu lluniau o ddinas Lerpwl yn nyddiau'r ymfudo mawr; canolbwyntiodd yn hytrach ar olygfeydd o Gymru. Cymru oedd ei faes ac nid Lerpwl: pentrefi a threfi bach Cymru, dyffrynnoedd fel Dyffryn Clwyd a Glyn Ceiriog, a chymeriadau'r eisteddfod a'r ŵyl bregethu. Hwy oedd yr atyniadau iddo. Ond ni ddylwn anghofio iddo lwyddo i roi ar gof a chadw rai o gymeriadau enwocaf Lerpwl, fel cewri'r pulpud, ambell flaenor pwerus, fel Mathew Jones, a dirwestwyr pybyr fel Corfanydd.

John Cadvan Davies *'Cadvan'* (1846-1923)

Casgliad John Thomas

Cadvan

Cystadleuydd cecrus yn y byd eisteddfodol oedd Cadvan. Enillodd ar y arwrgerdd 'Madog ab Owain Gwynedd' yn Eisteddfod Genedlaethol Lerpwl 1884, ond methodd ag ennill ar y rhieingerdd yn Eisteddfod Genedlaethol Lerpwl 1900 a chadwodd dipyn o sŵn. Bu'n weinidog gyda'r Eglwys Fethodistaidd Wesleaidd yn Lerpwl am gyfnod ac fe'i cofir erbyn hyn am rai o'r emynau swynol o'i eiddo a welir yn llyfr emynau'r Methodistiaid Calfinaidd a Wesleaidd, 1930.

Thomas Charles Edwards *(1837-1900)*

Gŵr pwysig yn hanes Cymru Oes Fictoria. Dechreuodd bregethu yn 1856 a daeth o dan ddylanwad Diwygiad 1859. Cafodd alwad yn 1866 i fod yn weinidog capel Saesneg enwad y Methodistiaid Calfinaidd yn Windsor Street, Lerpwl, ac yn ystod ei weinidogaeth symudwyd i gapel mwy yn Catherine Street. Gadawodd yn 1872 ar ei apwyntiad yn Brifathro cyntaf Coleg Prifysgol Cymru, Aberystwyth, lle y bu hyd 1891, pan aeth yn Brifathro coleg diwinyddol ei enwad yn y Bala. Cyhoeddwyd cofiant iddo gan un o weinidogion Lerpwl, sef y Parch D. D. Williams, Belvedere Road, ac fe'i hargraffwyd gan Wasg y Brython (D. D. Williams, *Thomas Charles Edwards*, Cymdeithas yr Eisteddfod Genedlaethol, 1921). Bu ei frawd, Dr James Edwards, yn feddyg teulu yn ardal Walton am flynyddoedd, ac yn hynod o weithgar yng Nghapel Anfield Road a gyda'r mudiad dirwest ym Mhrydain.

Casgliad John Thomas

Thomas Charles Edwards

John Evans *EGLWYS-BACH (1840-1897)*

Un o bregethwyr mwyaf cenedl y Cymry. Fe'i ganwyd 28 Medi 1840 yn Eglwys-bach, a bu'n ffefryn gyda chynulleidfaoedd Cymru o'i lencyndod. Aeth i'r weinidogaeth yn 1860 a bu'n weinidog yn Lerpwl ddwywaith, y tro cyntaf rhwng 1866-1869, ac yna dod yn ôl eto i Chester Street yn 1872, a gofalu am Shaw Street o 1873 i 1875. Un o Lerpwl oedd ei wraig gyntaf, sef Charlotte, merch John Pritchard, Norwood Grove. Bu farw ar daith bregethu yn Lerpwl, 23 Hydref 1897, a gwelir ei garreg fedd ym mynwent Anfield. Dywedodd E. Tegla Davies, un o lenorion y Glannau, amdano:

Oherwydd ei harddwch corfforol, swyn anghymharol ei lais, bywiogrwydd ei ddychymyg, ei ddull dramatig, ei ddiffuantrwydd a'i angerdd, yr oedd ei ddylanwad ar ei gynulleidfaoedd yn anhygoel.

John Evans

Bedd John Evans ym mynwent Anfield

Yr Henadur William Evans

Dechreuodd fel pregethwr gyda'r Cymry tua 1867, ond erbyn 1877 roedd wedi ymuno â'r achos Saesneg. Bu'n amlwg iawn ym mywyd Lerpwl fel aelod o'r Cyngor Dinesig ac fel henadur ac Ynad Heddwch. Cefnogai achos dirwest ym mywyd cyhoeddus y ddinas. Cymerodd ran amlwg ym mywyd yr eglwysi Saesneg a berthynai i Eglwys Bresbyteraidd Cymru, fel Arkwright Street, Everton Brow ac Oakfield Road, a bu'n Llywydd Cynhadledd yr Eglwysi Saesneg.

Casgliad John Thomas

Yr Henadur William Evans, Brunswick Street

Dr John Hughes *(1827-1883)*

Un o wŷr amlycaf y Methodistiaid Calfinaidd yn ail hanner y bedwaredd ganrif ar bymtheg. Fe'i ganwyd yn nhŷ capel Llannerch-y-medd, Môn, ac wedi treulio pum mlynedd ym Mhorthaethwy, daeth i Lerpwl yn Nhachwedd 1857. Mabwysiadodd Rose Place yn 1860, a bu'n weinidog Fitzclarence Street o 1865 i 1888, pan symudodd i Eglwys Engedi, Caernarfon. Yr oedd yn feddyliwr praff ac yn awdur toreithiog. Bu'n Llywydd Cymdeithasfa'r Gogledd yn 1871, a Llywydd y Gymanfa Gyffredinol yn 1880. Meddai lawer o hiwmor, a bu hynny o gryn gymorth iddo yn Lerpwl. Ni chafodd John Thomas gystal hwyl ar y llun hwn.

Casgliad John Thomas

Dr John Hughes

John Hughes *FITZCLARENCE STREET (1850-1932)*

Casgliad John Thomas

John Hughes

Cafodd Capel Fitzclarence Street ddau weinidog o'r un enw yn dilyn ei gilydd! Dau debyg i'w gilydd hefyd: awduron, pregethwyr grymus ac arweinwyr cyfundebol. Dechreuodd John Hughes, M.A., fel y'i gelwid, ym mis Mai 1890, yn weinidog ar 533 o aelodau, ac arhosodd yno hyd ei ymddeoliad yn 1917, pan symudodd i fyw i Ben-y-bont ar Ogwr. Yn ystod ei weinidogaeth yn Lerpwl etholwyd ef yn Llywydd Cymdeithasfa'r Gogledd yn 1908, ac yn Llywydd y Gymanfa Gyffredinol yn 1911. Bu farw 24 Gorffennaf 1932.

Mathew Jones *ROSE PLACE A FITZCLARENCE STREET*

Gŵr o sir Fflint a masnachwr glo o ran ei alwedigaeth. Etholwyd ef yn flaenor yng Nghapel Rose Place yn 1840, ac wedi agor capel newydd yn Fitzclarence Street, aeth ef a David Lewis, Thomas Lloyd a Thomas Jones, Great Homer Street, yn arweinwyr i'r eglwys honno. Siaradwr cyhoeddus diflas ydoedd, ond perchid ef ar sail ei gefnogaeth i'r ifanc, ei ddiddordeb yn yr eglwysi cenhadol fel Earlestown, Wigan, Widnes, Southport a St Helens, a'i ofal am y rhai oedd yn awyddus i wasanaethu'r Deyrnas. Gofalai fod ganddo bob amser lond ei boced o felysion ar gyfer y plant, ac roedd ei gartref yn ymyl Rose Place yn gyrchfan i laweroedd. Bu farw 15 Ebrill 1874.

Casgliad John Thomas

Mathew Jones

Mathew Jones a'i Ddisgyblion

Gwelsom ddarlun o Mathew Jones eisoes; dyma ef y tro hwn gyda'i ddisgyblion. Cynhaliai ddosbarth diwinyddol yn rheolaidd ar gyfer pobl ieuainc, a chychwynnodd nifer ohonynt i'r weinidogaeth, yn eu plith y rhain: Rhes gefn (yn sefyll o'r chwith i'r dde): Y Parch Robert Roberts (Earlestown) a fu'n weinidog yn Bradford; y Parch George Lamb, Lerpwl a fu'n weinidog yn y dau-ddegau yn Hanley, Stoke-on-Trent; T Rees Jones, Anfield Road a John Evans, Chatham Street a fu'n ffyddlon i'r cleifion yn ysbyty Lerpwl. Rhes flaen (yn eistedd o'r chwith i'r dde); Y Parch Thomas Jones, Rocky Lane, Lerpwl; R Charles Jones, Porthaethwy; Mathew Jones, a'r ddau nesaf o Gapel M.C. Anfield Road Lerpwl - y Parchedigion Hugh Roberts a John Williams.

Casgliad John Thomas

Owen Jones *(1823-1904)*

Gŵr anghyffredin ym myd capeli Cymraeg y Presbyteriaid. Bu'n gysylltiedig â chapeli Pall Mall a Rose Place, ac yn flaenor yng Nghapel Netherfield Road o 1869 i 1878, pryd y symudodd i Seacombe. Etholwyd ef yn arweinydd yno yn 1883, blwyddyn cyn marwolaeth gweinidog dawnus yr eglwys, y Parch Robert Lumley, gŵr a fedrai bregethu'n huawdl yn y ddwy iaith. Meddai Owen Jones ar gryn wybodaeth ddiwinyddol. Bu farw 22 Ionawr 1904.

Casgliad John Thomas

Owen Jones

Samuel Jones, y Pen Blaenor a Daniel Jones ei Frawd

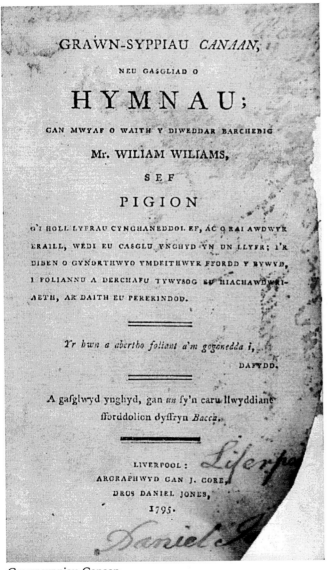

Grawnsyppiau Canaan

Samuel Jones, mab Robert Jones (1745-1829) Rhos-lan, a Magdalen Pritchard o Lanfihangel-y-Pennant. Ganwyd iddynt bedwar o blant, dwy ferch a dau fab, a daeth y meibion i Lerpwl. Gweithiai Daniel fel dilledydd, ac roedd Samuel yn un o'r blaenoriaid mwyaf pwerus a welodd Lerpwl erioed. Daniel oedd yn gyfrifol am gyhoeddi'r llyfr emynau *Grawn-syppiau Canaan* o waith William Williams, Pantycelyn, yn Lerpwl yn 1795, a'i argraffu gan J. Gore yn Castle Street. Bu dylanwad y ddau frawd yn nodedig.

Y llyfryn a baratowyd yn 1995 i ddathlu'r Grawnsyppiau Canaan *gwreiddiol*

Y Parchedig Lodwig Lewis *(1859-1933)*

Gŵr o sir Gaerfyrddin oedd Lodwig Lewis; perthynai i deulu Waunddewi ym mhlwyf Llanarthne, ac ef oedd yr ieuengaf o wyth plentyn John ac Esther Lewis. Yn ei ddyddiau cynnar daeth yn ffrindiau â William Abraham (Mabon), arweinydd y glowyr ac eisteddfodwr pybyr. Tra oedd yn gweithio mewn siop ddillad yn Abertawe, daeth o dan ddylanwad Dr David Saunders, a fu'n weinidog yn Eglwys Princes Road. Meddyliai y byd ohono, cymaint felly nes iddo enwi ei ail fab, a anwyd yn 1893, yn Saunders. Priododd Mary Margaret (1862-1900), ail ferch Dr Owen Thomas a'i briod Ellen, a ganwyd iddynt dri o fechgyn. Gweinidogaethodd Lodwig Lewis yn Eglwys Bresbyteraidd Cymru yn Seacombe o 1891 hyd 1916, y cyfnod mwyaf llewyrchus yn hanes yr eglwys. Cynyddodd y nifer o dan ei weinidogaeth o 216 yn 1891 i 352 yn 1913. Symudodd yn 1916 i'r Crug-glas, Abertawe. Roedd yn ŵr cydwybodol a chanddo dafod miniog yn aml, ac ar brydiau byddai'n wyllt ei dymer, ond roedd hefyd yn ddidwyll, yn gwmnïwr rhagorol, ac yn bregethwr a melyster yn ei ymadroddion. Bu farw yng Nghastell-nedd ar 24 Gorffennaf 1933 a chladdwyd ef ym mynwent Anfield gyda theulu ei dad yng nghyfraith. Mae'n siŵr mai ei fab athrylithgar, Saunders Lewis, fu'n gyfrifol am y geiriau Cymraeg ar y garreg fedd: 'Cyfraith gwirionedd oedd yn ei eiriau ef ac anwireddau ni chafwyd yn ei wefusau'.

Thomas Lloyd *(1822-1899)*

Casgliad John Thomas

Thomas Lloyd

Gŵr o Aberystwyth oedd Thomas Lloyd a ddaeth i Lerpwl yn 1845 ac a briododd merch cyhoeddwr *Yr Amserau*, John Jones, Castle Street. Parhaodd yntau â'r busnes, a bu'n llyfrwerthwr dylanwadol. Diwylliodd ei hun ym myd seryddiaeth a dysgodd yr iaith Roeg er mwyn astudio'r Testament Newydd. Rhoddodd gyfraniad gwerthfawr i Eglwys M. C. Fitzclarence Street, a mynegodd yr eglwys ei gwerthfawrogiad o'i lafur yn 1895 trwy gyflwyno iddo dysteb o £112-17-10. Bu farw 15 Gorffennaf 1899.

Syr John Morris-Jones *(1864-1929)*

Yr oedd Syr John Morris-Jones yn gryn ffefryn gan Gymry Lerpwl. Ef oedd un o feirniaid yr awdl yn Eisteddfod Genedlaethol Lerpwl, 1900; awdl ar y testun 'Bugail', a enillwyd gan Pedrog. Ei ffugenw oedd Hesiod, ac yn ôl Syr John a Robert Arthur Williams (Berw, 1854-1926), ficer Betws Garmon, ef a haeddai'r anrhydedd. Ond yn ôl y trydydd beirniad, Richard Davies (Tafolog, 1830-1904), o Worthen yn sir Amwythig, y bardd â'r ffugenw Alun Mabon a deilyngai'r wobr. Yn 1902 rhoddodd yr ysgolhaig John Morris-Jones gyfres o ddarlithiau ar y bardd Goronwy Owen ym Mhrifysgol Lerpwl, a'r haf dilynol trefnodd Gwilym R. Griffiths, Grassendale, wibdaith i Fro Goronwy, ar y trên o Lerpwl i Lannerch-y-medd, ac yna gerbydau oddi yno i Lanbedr-goch a Llanallgo.

Casgliad John Thomas

Yr Athro Syr John Morris-Jones

Edward Owen *BREEZE HILL, BOOTLE (1830-1912)*

E. Emrys Jones

Ganwyd Edward Owen yn Llanffinan ar Ynys Môn. Daeth i Lerpwl yn 1852 fel saer coed, ac ymhen amser sefydlodd ei gwmni ei hun, gan adeiladu'n helaeth yn ardal Bootle. Yn 1879 etholwyd ef yn flaenor yn Eglwys Stanley Road yn y dref. Roedd yn ŵr diwylliedig ac yn hoff o deithio. Ymwelodd â'r Unol Daleithiau, gwlad yr Aifft a Phalestina, a chyhoeddwyd ei argraffiadau mewn cyfrol hynod o ddiddorol: *Ymweliad â'r Dwyrain a'r Gorllewin.* Yn 1905 aeth mor bell ag Awstralia i weld ei frawd. Bu farw nos Sul, 3 Tachwedd 1912, ym Mae Colwyn, a bu'r angladd ym mynwent Anfield ar 7 Tachwedd. Bu ei briod, Annie, farw ar 25 Hydref 1904 ac yma gwelir llun y garreg fedd hardd. Yr oedd ganddynt un ferch, sef Mrs Dr Rowland Owen, Seaforth. Y mae E. Goronwy Owen, Allerton, trysorydd Eglwys Bethel, Heathfield Road, yn y llinach. Gadawodd Edward Owen yn ei ewyllys fil o bunnoedd i Ysbyty Stanley.

Owen Owens *OAKSIDE, CALDERSTONES (1855-1950)*

Adeiladwr arall o blith Cymry Lerpwl, genedigol o Gaergybi. Daeth i Lerpwl yn 1873 gan ddechrau fel plymwr gyda John Roberts, St George's Hill, Heyworth Street, Everton. Aeth ar ei liwt ei hun wedyn, ac ymhen amser agorodd swyddfa a gweithdy yn 362 Smithdown Road. Adeiladodd yn helaeth yn ardal Allerton Road a Heathfield Road, ac yn ddiweddarach ar ystad Harthill, Calderstones. Roedd yn arweinydd ymysg y Bedyddwyr Cymraeg yn Everton Village, yn ddiacon yng Nghapel Windsor Street, ac yn bennaf gyfrifol am y symudiad i Earlsefield Road. Gwelir ei ddylanwad ar gapel y Bedyddwyr Cymraeg, Earlesfield Road. Bu ei briod, Mary, farw ar 1 Ebrill 1919, ond cafod ef oes hir, fel y gwelir o'i garreg fedd ym mynwent Allerton. Bu farw yn y Fali, Môn, ar 12 Hydref 1950, lle y symudodd yn 1944, ond gosodwyd ef i orffwys yn y ddinas lle bu mor weithgar.

E. Emrys Jones

Henry Rees *CHATHAM STREET (1798-1869)*

Casgliad John Thomas

Henry Rees

Gweinidog enwocaf y Methodistiaid Calfinaidd yn ei gyfnod. Pregethwr cwbl arbennig, ac yn ôl llawer, ef oedd y mwyaf duwiol a'r mwyaf perffaith. Ganwyd ef yn Llansannan, 15 Chwefror 1798, yn Chwibren-isaf, fferm wrth droed Mynydd Hiraethog. Brawd iau ydoedd William Rees, 'Gwilym Hiraethog', a bu'r ddau yn amlwg ym mywyd Cymry Lerpwl. Symudodd i Lerpwl Nadolig 1836, lle y bu am weddill ei oes. Bu'n Llywydd Cymdeithasfa'r Gogledd yn 1855-6, a thrachefn yn 1867, ac yn 1864 penodwyd ef yn Llywydd y Gymanfa Gyffredinol gyntaf a gynhaliwyd yn Abertawe. Priododd ei unig ferch Anne yn 1855 â'r gwleidydd Richard Davies (1818-96), Aelod Seneddol Rhyddfrydol Môn o 1868 i 1886, a phrofodd Henry Rees o gysur a moethusrwydd y cartrefi yn Treborth, ger Bangor a Benarth, Dyffryn Conwy. Claddwyd ef yn Llantysilio, Môn.

Samuel Roberts 'S.R.' *(1800-1885)*

Casgliad John Thomas

Samuel Roberts ('S.R.' 1800-1885). Un o ymgyrchwyr pennaf Oes Fictoria dros ryddid, heddwch a chyfiawnder cymdeithasol. Yr oedd yn ffigwr poblogaidd ymysg Annibynwyr Lerpwl gan fod cynifer ohonynt yn hanu o Lanbryn-mair, lle bu S. R. a'i dad a'i frodyr yn gweinidogaethu. Hwy, ynghyd ag eraill, gynhaliodd gyfarfod croeso iddo ar ôl ei ddychweliad o'r Unol Daleithiau yn 1867. Oherwydd gorthrwm y meistr tir a stiward yr ystad yn Llanbryn-mair, penderfynodd S.R. a'i frawd Gruffydd Rhisiart a'i deulu ymfudo i Tennessee. Gadawodd Lerpwl ar 6 Mai 1857, ond buan y sylweddolodd fod y goruchwyliwr tir yn Tennessee wedi eu twyllo, a chymhlethwyd y cyfan pan ddaeth Rhyfel Cartref America, 1861-65. Fel heddychwr condemniodd ef y rhyfela, ac yn fuan fe gafodd yntau ei gondemnio gan y ddwy blaid. Lluniodd beirdd fel Ceiriog gerddi i'w boenydio, a balch ydoedd o gael cefnogaeth haelionus ymhlith ei edmygwyr yn Lerpwl. Trefnwyd tysteb iddo, a bu'r ymateb yn anhygoel. Casglwyd £1,245, a chafwyd cyfarfod cyhoeddus llawn brwdfrydedd yn Hope Hall, Lerpwl, ym mis Mawrth 1868.

Samuel Roberts, 'S.R.'

Dr Owen Thomas *(1821-1891)*

'Pregethwr y Bobl' yw'r disgrifiad a roddwyd i'r Parch Owen Thomas, a weinidogaethodd yn Netherfield Road o 1865 i 1871 ac yna yn Eglwys Princes Road hyd ei farw. Cyhoeddwyd *Cofiant Owen Thomas* yn 1912 gan J. J. Roberts (Iolo Carnarvon), ond y mae'r astudiaeth ddiweddaraf,

Pregethwr y Bobl: Bywyd a Gwaith Owen Thomas, a gyhoeddwyd yn 1979, wedi ei sylfaenu ar ddogfennau nad oedd ar gael i J. J. Roberts. Balch oeddwn o dderbyn canmoliaeth Saunders Lewis ar y gyfrol yn *Y Goleuad* (11 Ebrill 1979), a hefyd dderbyn Gwobr Goffa Ellis Griffith Prifysgol Cymru yn 1979. Rhoddir y wobr hon am gyfrol fwyaf ysgolheigaidd y flwyddyn ac y mae'r gyfrol o 333 o dudalennau yn rhoddi darlun byw o'r Dr Owen Thomas. Deilliodd y gyfrol allan o draethawd ymchwil Prifysgol Lerpwl o dan gyfarwyddyd y Dr D. Simon Evans.

Casgliad John Thomas

E. Emrys Jones

Mans Dr Thomas,
46 Catherine Street, Lerpwl

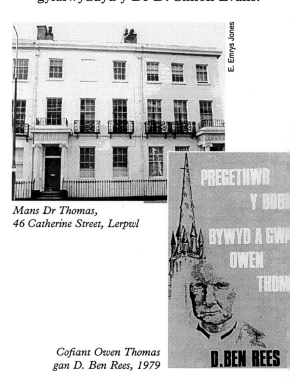

Cofiant Owen Thomas
gan D. Ben Rees, 1979

William Thomas *(1815-1894)*

Brawd i Owen Thomas (1812-1891), John Thomas (1821-1892) a Josiah Thomas (1830-1905) oedd William Thomas, ac am gyfnod byr yn niwedd yr wythdegau yr oedd y pedwar brawd dawnus yn byw ac yn gweinidogaethu yn y ddinas. Roedd ef a'i frawd John yn enwog fel arweinwyr y mudiad dirwest. Penodwyd ef yn oruchwyliwr dros Gymru i'r United Kingdom Alliance, ac ar ei ymddeoliad yn 1885 daeth i Lerpwl o Fangor i fyw at ei fab, B. J. Thomas, yn Deane Road. Manteisiodd Capel Holt Road yn syth ar ei brofiad helaeth fel blaenor yng Nghapel Tabernacl, Bangor, gan ei benodi'n flaenor ar y capel hwnnw bron ar unwaith, a bu yn y swydd am chwe blynedd. Gwelir yn y llun hwn, o sylwi ar ffurf y genau a thanbeidrwydd y llygaid, y tebygrwydd rhyngddo a'i frodyr Owen a John.

Casgliad John Thomas

William Thomas,
un o arweinwyr y mudiad dirwest

Yr Athro William Thelwall Thomas *(1865-1927)*

Ail blentyn John ac Elizabeth Thomas, y Cambrian Gallery, oedd hwn. Meddyliai ei dad y byd ohono ac aethant ar aml i daith gyda'i gilydd yng Nghymru. Daeth yn enwog yn ei ddydd fel llawfeddyg, a bu'n Athro Llawfeddygaeth ym Mhrifysgol Lerpwl ac yn uwch-lawfeddyg yn yr Ysbyty Brenhinol. Cyfrifid ef yn un o lawfeddygon pwysicaf gogledd Lloegr. Y mae'r Dr Emyr Wyn Jones wedi ysgrifennu'n gryno amdano yn *Y Bywgraffiadur Cymreig*, ac mewn pennod yn ei gyfrol *Ysgubau'r Meddyg* (Y Bala, Llyfrau'r Faner 1973, 64-82). Gyda llaw, Thelwall Thomas oedd yr ail blentyn i gael ei fedyddio yng Nghapel Fitzclarence Street.

Casgliad John Thomas

Yr Athro Thomas

John Williams *PERTH STREET*

Disgrifiwyd John Williams gan un o'i gyfoedion fel gŵr cadarn o gorff a meddwl, a gwasanaethodd Eglwys Fitzclarence Street yn deyrngar fel blaenor a thrysorydd yr eglwys. Etholwyd ef a phedwar arall yn flaenoriaid yn 1869.

John Williams

Casgliad John Thomas

Y Parch John Owen Williams 'Pedrog' *(1853-1932)*

Gŵr amryddawn a gweithgar oedd Pedrog. Bu'n olygydd *Y Dysgedydd*, cylchgrawn yr enwad, o 1922 hyd 1925, yn golofnydd cyson i'r *Brython*, yn gymwynaswr cynulleidfaoedd yr Annibynwyr ar hyd a lled y Glannau, ac ef yw awdur un o emynau hyfrytaf yr iaith Gymraeg, 'Y Rhai Pur o Galon'.

> O! Fendigaid Geidwad,
> Clyw fy egwan gri;
> Dyro ddawn dy gariad
> Yn fy enaid i.
> Mi gawn dy gymundeb
> Nefol heb wahân,
> Gwelwn wedd dy wyneb,
> Ond cael calon lân.
>
> Plygaf i'th ewyllys,
> Tawaf dan bob loes,
> Try pob Mara'n felys,
> Braint fydd dwyn y groes;
> Molaf dy drugaredd
> Yn y peiriau tân:
> Digon, yn y diwedd
> Fydd cael calon lân.
>
> O! Fendigaid Arglwydd
> Ar fy nhaith drwy'r byd,
> Gwynned dy sancteiddrwydd
> Ddyddiau f'oes i gyd.
> Angau dry'n dangnefedd,
> Troir y glyn yn gân;
> Nefoedd wen ddiddiwedd
> Fydd i'r galon lân.

Hwn oedd un o hoff emynau Hugh John Jones, Centreville Road, Allerton a fu farw 13 Gorffennaf 1996 yn 84 mlwydd oed. Cymwynaswr mawr y Cymry, arweinydd y canu yng Nghlwb y Cymry yn Upper Parliament Street adeg yr Ail Ryfel Byd ac yn arweinydd criw o bobl ieuainc o amgylch yr Ysbyty Brenhinol yn Pembroke Place bob nos Sul, a chrëwr cadeiriau eisteddfodol.

Hugh John Jones

Pedrog a'i Gadair *(1887)*

Daeth Pedrog i amlygrwydd yn y byd eisteddfodol pan enillodd y gadair hon y mae'n eistedd ynddi, ym Mhorthmadog yn 1887 am awdl ar y testun 'Ffydd'. Ddwy flynedd yn ddiweddarach enillodd dlws aur yn Eisteddfod Utica yn nhalaith Efrog Newydd, yr Unol Daleithiau. Erbyn diwedd ei oes yr oedd Pedrog yn ffigwr pwysig yn Lerpwl. Y mae ei hanes (gweler *Stori 'Mywyd* a gyhoeddwyd yn 1932) yn hynod o ramantus - yn codi o dlodi affwysol, a phrin ei fanteision addysgol, i fod yn weinidog Capel yr Annibynwyr, Kensington. Tua diwedd ei yrfa bu'n Gadeirydd Undeb yr Annibynwyr Cymraeg, ac yn Archdderwydd yn yr un cyfnod. Deil ei englyn i 'Coed Nanhoron' yn afaelgar atgofus:

> *Yma'r awn ym more oed - yn llawen*
> *A lliaws o'm cyfoed;*
> *Fy hun yn oedfa henoed*
> *Mor unig im yw'r hen goed.*

Ni ellir gwell cyngor chwaith na'r englyn a luniodd ar y teitl hwnnw:

> *Hynt annoeth iawn yw tynnu - eich hunain*
> *Hyd grochanau'r fagddu;*
> *Os am lanwisg, ganwisg gu,*
> *Na chyffyrddwch â pharddu.*

Casgliad John Thomas

Robert Glyn Williams *(1900-1975)*

Mab i'r Parch R. J. Williams a'i briod oedd R. Glyn Williams, ac fel ei rieni, bu yntau'n hynod o ffyddlon i dystiolaeth y Genhadaeth Dramor yn India. Ganwyd ef yn 1900 a bu farw yn sydyn nos Sul 5 Ionawr 1975 yn Allerton Road ar ei ffordd adref o Eglwys Heathfield Road. Bu'n hynod o weithgar yn yr eglwys honno fel ymwelydd â chartrefi'r Cymry, yn gweithio ymysg yr ifanc, yn flaenor o 1953 ac yn drysorydd. Banciwr ydoedd o ran galwedigaeth. Meddai ar gryn dipyn o hiwmor a hoffai bêl-droed yn fawr; gwyliai Lerpwl yn gyson. Er ei holl gefnogaeth i'r Cymry, oherwydd swildod ni hoffai sgwrsio yn Gymraeg, ond byddai'n cymryd rhan yn gyson mewn gwasanaethau ar noson waith drwy gyfrwng yr iaith honno. Fel y dywedir ar ei garreg fedd ym mynwent Allerton, 'Cymwynaswr

Y Parch R.J. Williams

mawr' ydoedd, a bu sydynrwydd ei ymadawiad yn sioc i holl Gymry Allerton, lle'r oedd yn ffigwr adnabyddus. Ni fu ei briod, Hannah Williams (genedigol o sir Fôn), fyw yn hir ar ei ôl, a chwith oedd canfod un cartref yn llai yn hanes y Cymry. Bu'r cartref yn un croesawgar dros ben, ac yno, yn 39 Garthdale Road, yr arhosais ar fy Sul prawf yn Nhachwedd 1967.

ER COF AM
ROBERT GLYN WILLIAMS
39 GARTHDALE ROAD, LERPWL 18.
PRIOD HOFF HANNAH WILLIAMS
A BLAENOR NODEDIG
YN EGLWYS BRESBYTERAIDD CYMRU
HEATHFIELD ROAD LERPWL
O 1953 HYD 1975
HUNODD IONAWR 5.1975 YN 75 OED.
Cymwynaswr mawr a Christion cywir.
HEFYD EI ANNWYL BRIOD
HANNAH
HUNODD AWST 1.1977 YN 78 OED.
"Yr arglwydd yw fy mugail
ni bydd Eisiau arnaf."

E. Emrys Jones

Aberth yr Ifanc

Ytu allan i Gapel Stanley Road, Bootle, gwelir cofadail i ieuenctid yr eglwys a gollodd eu bywydau yn y ddau Ryfel Byd. Costiodd y gofgolofn hon £305 yn 1918. Penderfynodd yr Henaduriaeth hefyd brynu tŷ o'r enw Benarth yn Llanfairfechan, yn gartref gwyliau ar gyfer plant amddifad yng Nghartref Bontnewydd. Cerfiwyd enwau yr holl ieuenctid o eglwysi Presbyteraidd y Glannau a gollodd eu bywydau ar sgrôl o bres a osodwyd ar y mur yng nghartref Benarth. Y mae'r sgrôl honno bellach yn y Bontnewydd. Aeth 238 i ymladd yn y Rhyfel Byd Cyntaf o Eglwys Stanley Road yn unig, a chollwyd 26 ohonynt. 'Mewn angof ni chânt fod'.

E. Emrys Jones

Coffáu David a Jane Hughes *ANFIELD*

E. Emrys Jones

Yr oedd David Hughes (1820-1904), a anwyd yng Nghemaes, yn un o garedigion pennaf Cymry Lerpwl. Daeth i'r ddinas mewn llong hwylio fechan o Amlwch, taith a gymerodd dri diwrnod. Trwy ddyfalbarhad daeth yn un o brif adeiladwyr Lerpwl. Bu'n flaenor yng nghapeli Rose Place, Cranmer Street ac Anfield Road am saith mlynedd a deugain, ac yn 1876 etholwyd ef hefyd yn flaenor yn Eglwys Bethesda, Cemaes, Môn, lle'r oedd ganddo ail gartref, sef plasty hardd yr Wylfa. Yr oedd David Hughes, yn ôl Robert Williams, Cemaes, yn 'ŵr bendigaid, a'i galon gymaint â'i gyfoeth'. Am y stori yn llawn, gw. D. Ben Rees (gol), *Cyfaredd Capel Bethesda Cemaes, Môn. (1781-1981)* (Lerpwl a Llanddewibrefi, 1981), t19. Bu ei briod, Jane, a anwyd yn 1831, farw ar 8 Rhagfyr 1911, a gosodwyd y ddau i orwedd ym mynwent Anfield. Fel y sylwch, adwaenid ef fel David Hughes, Waterdyne, Lerpwl a'r Wylfa, Môn.

Dau Fardd

Dau fardd, sef llun anghyffredin o Rowland Williams (Hwfa Môn, 1823-1905) a John Owen Williams (Pedrog, 1853-1932). Gwelwn ddau weinidog gyda'r Annibynwyr Cymraeg a dau o brifeirdd yr Eisteddfod Genedlaethol. Bu'r ddau hefyd yn archdderwyddon, Hwfa Môn yn llenwi'r swydd yn fwy urddasol na Phedrog. Enillodd Hwfa Môn Gadair Eisteddfod Genedlaethol Penbedw yn 1878 - hon oedd y drydedd iddo - a llwyddodd Pedrog hefyd i ennill y Gadair Genedlaethol yn Abertawe (1891), Llanelli (1895) a Lerpwl (1900).

Casgliad John Thomas

Hwfa Môn (yn eistedd) a Pedrog

Gweinidogion un Enwad yn Lerpwl *(1867)*

Gwyddom mai un o orchwylion proffidiol cyntaf John Thomas oedd tynnu llun gweinidogion yr enwad y perthynai iddo, sef y Methodistiaid Calfinaidd. Dyma enghraifft benigamp, sef llun o un ar ddeg ohonynt. Y mae rhai ohonynt yn enwog iawn, fel Dr Owen Thomas, fu'n weinidog yn Netherfield Road a Princes Road; y Parch Henry Rees, gweinidog enwocaf y Methodistiaid yn ei gyfnod (1821-1869) yn ôl rhai; a'r Parch Richard Lumley (1810-1884), o Aberystwyth yn wreiddiol, a gweinidog Eglwys Seacombe o fis Medi 1866 hyd ei farw ar 23 Gorffennaf 1884 - deunaw mlynedd ar y Glannau. Gŵr galluog a dawnus oedd Lumley, ond dyn anodd delio ag ef gan ei fod yn fyr ei dymer a deifiol ei sylwadau, ond roedd yn swynol a dylanwadol yn y pulpud, a gwisgai'n drwsiadus bob amser. Disgrifiodd Eleazer Roberts ef fel 'cymeriad ardderchog a phregethwr ardderchog', a digon yw hynny. Cawr arall oedd David Saunders (1831-1892), pregethwr huawdl a ddaeth i Lerpwl o Aberdâr; yn ystod ei arhosiad o chwe blynedd, codwyd adeilad anghyffredin 'Eglwys Gadeiriol y Cymry', sef Capel Princes Road. Soniwyd eisoes am Dr John Hughes (1827-1893) Fitzclarence Street o 1857 hyd 1888. Am y gweddill, nid ydynt mor adnabyddus, ond haeddant gofnod er hynny. Dyna Owen Jones (1821-1911), gweinidog cyntaf Capel Miller's Bridge, neu Gapel Balliol Road yn ôl adroddiadau'r eglwys. Mab i'r Parch Owen Jones, Gelli ger Llanfair Caereinion, arloeswr yr ysgol Sul, ydoedd. Daeth i Bootle ym mis Hydref 1865 gydag addewid mawr. Ond o fewn pum mlynedd bu anghydfod ac fe'i diswyddwyd, er iddo barhau yn aelod am rai blynyddoedd cyn dychwelyd i'w hen gartref. Gwrthododd Cymdeithasfa'r Gogledd ei adfer i holl waith y weinidogaeth yn 1883, a'r un modd Henaduriaeth Lerpwl. Digwyddodd rhywbeth digon tebyg yn hanes un arall o'r brodyr, sef y Parch Joshua Davies, gweinidog Capel Camperdown Street, Penbedw, o Ionawr 1862 hyd 1867, y flwyddyn y tynnwyd y llun hwn. Gadawodd am Lundain yn haf 1868, a deellir fod yr holl sibrydion amdano yn gwbl ddi-sail. Cafodd ei gamfarnu. Y pregethwr yng ngwaelod y llun yw'r Parch Joseph Williams. Daeth i Lerpwl yn 1839 a gweithiodd mewn swyddfa ar hyd ei oes. Ni fu gofal eglwys ganddo, ond fe'i hordeiniwyd yn 1857 a bu'n ysgrifennydd diwyd yn ysgol Prince Edwin Street. Bu'n aelod defnyddiol, er ar adegau'n wyllt ei dymer, yn Eglwys Fitzclarence Street, a bu farw 1 Rhagfyr 1880.

Tipyn o gamp yw cael llun y Parch John Parry (1814-1894) yn y casgliad hwn. Yr oedd ef yn un o gychwynwyr yr achos yn Oil Street, a dechreuodd bregethu pan symudodd yr eglwys i Burlington Street. Gŵr rhyfeddol o swil ydoedd, a gwyrth oedd i John Thomas lwyddo i gael ei lun.

Gwibdaith Ysgol Sul Oes Fictoria

Dyma lun na welais mo'i debyg: llun o wibdaith ysgol Sul Capel Fitzclarence Street; dau gant a thri o bobl o bob oedran, o'r baban yng nghôl ei fam i'r arweinwyr barfog. Sylwer ar yr olwg lewyrchus sydd ar y dynion a'r merched - pob un ohonynt mewn dillad Sul.

Casgliad John Th

Gwibdaith Ysgol Sul Capel y Bedyddwyr Cymraeg Everton Village

Ymae'r llun hwn yn ddiweddarach ac yn ddiddorol eto; gwibdaith i Maghull yn 1925. Ymhlith y rhai a welir yn y llun, ac sydd ar dir y byw yn 1996, mae Mrs Dilys Pritchard (Broadgreen), Mrs Eva Griffiths (Orrell), Mrs Gwladys Roberts Jones (Llanaelhaearn), ei brawd Robert Roberts Jones (Dwygyfylchi), Ted Humphreys-Jones (Everton, ac ef sydd bia'r llun), Daniel Hughes (Anfield), ei frodyr Alfred Hughes (Horsforth, Leeds) a Tudor Hughes (Enfield, Middlesex), Miss Betty Hughes (Allerton), Mr Harry Davies (Anfield) a Miss Eluned Davies.

Pwyllgor Gwaith yr Angor

Pwyllgor gwaith Yr Angor *yn 1987*

Yr Angor yw papur bro Glannau Mersi er 1979, a Manceinion hefyd oddi ar 1993. Gweler yn y llun (rhes gefn): Wil Owen, Allerton; Walter Rees Jones, Penbedw; y Parch R. E. Hughes, Nefyn (Penbedw gynt), a'r diweddar John Alun Hughes, Fairfield. Rhes flaen: y diweddar Barch Ieuan A. Jenkins, Waterloo; Miss Menai Williams, y Rhyl (Ormskirk gynt); E. Goronwy Owen, Allerton; y Parch Ddr D. Ben Rees (golygydd); H. Wyn Jones, Allerton; Mrs Ann Jones, Trefebin, a'r diweddar J. Alun Edwards, Blundellsands.

Teulu J. W. Jones

Daeth J. W. Jones i Lerpwl o Gyffylliog ger Rhuthun yn 1886 i weithio fel saer coed i gwmni David Roberts, a naw mlynedd yn ddiweddarach priododd Sarah Catherine Owens, merch o Lanrhaeadr-ym-Mochnant. Dyna'r rheswm fod yma strydoedd â'r enwau Tanat Drive a Garth Drive. Ganwyd

J. W. Jones

iddynt bump o blant, pedwar mab ac un ferch. Bu'r meibion yn y busnes adeiladu ar hyd eu hoes: Rowland Owen Jones (1898-1964), W. Glyn Jones (1900-1986), Howell Vaughan Jones (1913-1979) a Trevor Jones, yr unig un o'r teulu ar ôl. Bu farw'r chwaer, Gwladys Elinor Oliver, oedd wedi mynd i fyw i Fetws-yn-Rhos, yn 1992. Bu i'r teulu ran amlwg ym mywyd Cymry Lerpwl.

Gwasanaethodd J. W. Jones ar Gyngor Lerpwl o 1932 i 1938, a bu'n drysorydd Eglwys Heathfield Road; felly hefyd y mab ieuengaf, Howell, a briododd Gwen, merch y Parch E. Tegla Davies. Y mae gennyf yn bersonol gryn le i ddiolch i'r teulu hwn, ac am flynyddoedd buom yn canu carolau ar aelwydydd W. Glyn Jones a Howell V. Jones yn y saith a'r wythdegau. Y mae bedd y teulu i'w weld ym mynwent Allerton, a'r ddwy iaith i'w canfod ar y garreg fedd, sy'n croniclo stori un o brif gwmnïau adeiladu Cymry Lerpwl - cwmni J. W. Jones a'i Feibion, Cyf., Ffordd Allerton.

E. Emrys Jones

Capel Chatham Street, Lerpwl

Capel Chatham Street yw hwn. Oherwydd fod Capel y Methodistiaid Calfinaidd Cymraeg Mulberry Street wedi mynd yn rhy fach, penderfynwyd chwilio am safle newydd, ac ystyrid adeiladu yn Grove Street a Myrtle Street, ond yn y diwedd penderfynwyd ar ddarn o dir yn Chatham Street, eiddo'r Gorfforaeth, a hynny yn 1859. Cynlluniwyd y capel newydd gan gwmni penseiri Oliver a Lamb, Lerpwl, a Chymro oedd y cyntaf o'r partneriaid. Adeiladwyd capel hardd i ddal cynulleidfa o ddeuddeg cant gan gwmni Wilson a Jones, ond gorffennwyd y gwaith gan Joseph Hughes. Agorwyd y capel ar nos Fawrth, 1 Hydref 1869, a bu'n gwasanaethu'r ardal hyd y dydd olaf o Ragfyr 1949, pryd yr unodd y gynulleidfa â chapeli Princes Road a Belvedere Road, yn un eglwys unedig. Gwerthwyd yr adeilad i Brifysgol Lerpwl fel canolfan gyfathrebu, a gwariwyd yn helaeth arno yn ein dyddiau ni. Ail-gynlluniwyd ef gan gwmni TACP, Parc Busnes Brunswick yn Lerpwl, sydd â swyddfeydd hefyd yn Wrecsam a Chaerdydd. Yn nechrau Rhagfyr 1994, ailagorwyd Canolfan Chatham gan Ddug Caerloyw, a chefais wahoddiad i gynrychioli'r gorffennol ar ddiwrnod hanesyddol i'r brifysgol. Saif yr adeilad y drws nesaf i Lyfrgell Syr Sidney Jones, a cheir yno ddosbarthiadau nos mewn Cymraeg i oedolion sy'n dysgu'r iaith yn y ganolfan.

Capel Chatham Street fel y mae heddiw

E. Emrys Jones

Capel Cymraeg, Warrington

Cymry a lafuriai'n galed ar Gamlas Longau Manceinion a roddodd gychwyn i'r achos yn Warrington, gyda rhodd o naw can punt, ac yna rhodd arall o fil o bunnoedd i ddodrefnu'r capel. Cyn hynny defnyddid siop fel man cyfarfod. Daeth llawer o Gymry i fyw i'r dref, a llawer o ferched Cymreig i weini ar ffermydd sir Gaer. Mae'n debyg mai oes aur y capel oedd y blynyddoedd cyn yr Ail Ryfel Byd, a hefyd y cyfnod wedi sefydlu'r coleg hyfforddi athrawon yn Padgate, gerllaw Warrington. Cymerai'r myfyrwyr ran flaenllaw yng ngwasanaethau'r Sul, a soniodd Miss Ann Roberts, Lerpwl, mewn llythyr yn *Yr Angor* am y dyddiau hynny. Felly hefyd Lamech Griffiths, blaenor yn y capel er 1950, yn ei hunangofiant, *Atgofion Lamech* (Cyhoeddiadau Modern, 1995, 17-18). Dathlodd y capel yn Crossfield Street ei ganmlwyddiant ar 8 Mai 1992, pryd y torrwyd y gacen gan Ceri Williams, Tregarth, yr aelod olaf i'w bedyddio a'i phriodi yn y capel. Erbyn hyn, oherwydd problemau gyda'r adeiladau, penderfynwyd eu rhoi ar y farchnad, ac mae dyfodol yr achos Presbyteraidd Cymraeg yn Warrington yn y fantol. Ond deil y gweddill ffyddlon i gyfarfod yng nghapel yr Eglwys Ddiwigiedig Unedig.

E. Emrys Jones

Capel Cymraeg Warrington

Capel Fictoria, Crosshall Street

Symudodd y Methodistiaid Calfinaidd i Crosshall Street o Pall Mall, a chynlluniwyd y capel newydd gan gwmni Picton, Chambers a Bradley o Dale Street. Mab yr hanesydd a'r pensaer Syr James Picton oedd yn bennaf gyfrifol am y cynllun, ac adeiladwyd y capel gan gwmni Nicholson ac Ayre. Rhoddwyd iddo'r enw anghymreig Fictoria, gan fod cenhadaeth Irma Sankey a D. L. Moody (yr efengylwyr Americanaidd) wedi ei chynnal yn y stryd hon yn 1875 mewn pabell o'r enw Neuadd Fictoria. Ni fu'r achos mor llewyrchus ag y gobeithid, ond cafwyd deugain mlynedd o weithgarwch yno (1880-1920). Bu tri gweinidog poblogaidd yn yr eglwys: David Williams (1880-1893); W. M. Jones (1896-1908) a aeth oddi yno i Parkfield, Penbedw, a'r Dr Griffith Roberts Jones (1910-1912), a fu'n ddiwedd-arach yn weinidog ar Gapel Salem, Pwllheli.

E. Emrys Jones

Capel Fictoria heddiw

Capel Methodistiaid Calfinaidd Pall Mall

E. Emrys Jones

Pall Mall fel y mae heddiw

Capel Pall Mall oedd yr adeilad cyntaf o eiddo'r Cymry yn Lerpwl. Sylwer fel y nodir iddo gael ei ailadeiladu yn 1816. Y gweinidog a fu'n gefn i'r capel a'r achos am flynyddoedd oedd Thomas Charles o'r Bala. Ef a berswadiodd Gapel Pall Mall (ac yn ddiweddarach Capel Bedford Street) i sefydlu ysgolion rhad ar gyfer plant Cymry Lerpwl. Penodwyd y bardd a'r emynydd Peter Jones (Pedr Fardd) yn athro ysgol Pall Mall yn 1807, a pharhaodd i addysgu'r Cymry yn y traddodiadau am

Peter Jones

LlGC

dair blynedd ar hugain. Ceir rhagor o fanylion am Pedr Fardd fel athro yn ysgrifau Morris Williams (Nicander), 'Pedr Fardd yn Athraw Ysgol', *Y Geninen*, cyfrol IV, Rhif 1 (1866) 65-6, a manylion am ei fywyd yn Pall Mall a Lerpwl yn astudiaeth O. E. Roberts, 'Pedr Fardd yn Lerpwl', *Cylchgrawn Cymdeithas Hanes Eglwys Methodistiaid Calfinaidd Cymru,* cyfrol LIX (1974) 36-56, ac fel emynydd yn Gwilym R. Jones, 'Pedr Fardd' - ein trydydd emynydd mawr, *Porfeydd,* cyfrol 7 (1975), 35-41.

Capel Presbyteraidd Cymraeg Walton Park

ethwyd lleoli llun o Gapel Walton Park a agorwyd yn 1879 (agorwyd yr ysgoldy yn 1877) ac a ddatgorfforwyd yn 1971. Bu'n eglwys weithgar; meddai ar gôr a fyddai'n canu'n gyson ger carchar Walton ar ôl oedfa bore Sul, cynhelid ysgol Sul lewyrchus yn Stuart Hall, County Road (1892-1908) ac yn Arnot Street (1909-1930), a chynhyrchodd un o weinidogion mwyaf ysgolheigaidd y cyfundeb, sef Dr Robert Roberts, Trefnant. Gweinidogaethwyd yr eglwys am gyfnod hir gan y Parch E. J. Evans, a fu yno am 38 mlynedd (1885-1923). Yr oedd ef yn fab yng nghyfraith i'r newyddiadurwr enwog E. Morgan Humphreys ac yn ffrind mawr i David Lloyd George. Cyn dod i Walton Park bu E. J. Evans yn gofalu am Southport, ac yno y claddwyd ef yn 1925. Roedd Capel Walton Park yn weddol agos i Ysbyty

Y Parch E.J. Evans

Walton, a chryn syndod oedd galw yno i dynnu llun a sylwi fod yr adeilad y bûm yn pregethu ynddo wedi diflannu'n gyfan gwbl - y capel y bu'r pregethwr nerthol, y Parch Easter Ellis, yn weinidog arno yn ystod yr Ail Ryfel Byd. Bellach, fel y gwelir, adeiladwyd fflatiau ar safle'r capel, ond tynnwyd y llun er mwyn ein hatgoffa fod y fangre hon wedi bod yn gartref i Gymry Walton, Orrell ac Aintree am genedlaethau.

Safle Capel Walton Park

Capel yr Annibynwyr, Great Mersey Street

Cwmni bychan o Gymry yn cyfarfod ar noson waith ac mewn ysgol Sul yn Boundary Street o 1856 i 1860 oedd arloeswyr yr achos hwn, ac erbyn 1863 wele hwynt yn adeiladu Capel Great Mersey Street, o dan arweiniad eu gweinidog, y Parch William Roberts, gan iddynt gael eu corffori'n eglwys dair blynedd ynghynt. Yr

Y Parch William Roberts

oedd y capel yn un anghyffredin iawn, a'r llun hwn yw'r unig un a welais ohono. Dioddefodd fomio gan yr Almaenwyr ym mis Hydref 1941, ond yn rhyfeddol iawn ni ddinistriwyd y pulpud na'r organ, a symudwyd hwy oddi yno, gan eu gosod yn ddiogel yn adeiladu Capel yr Annibynwyr ym Merton Road, Bootle. Ar derfyn y rhyfel, penderfynodd cynulleidfa Great Mersey Street beidio ailadeiladu am eu bod wedi ymgartrefu ym Merton Road ac yn awyddus i barhau i gydaddoli yno, a bu sicrhau arian i dalu'r draul o godi pulpud Great Mersey Street ac adeiladu'r organ ar ôl atgyweirio'r capel yn help mawr i selio'r ddealltwriaeth rhwng y ddwy eglwys. Magodd Capel Great Mersey Street bedwar gweinidog i'r Annibynwyr yn ail hanner yr ugeinfed ganrif: Iorwerth Jones, meddyliwr craff a fu'n ysgrifennydd yr Undeb; Erastus Jones, un o'r eciwmenwyr pennaf yn hanes Annibynwyr Cymru; ei frawd, Pearce Jones, fu'n genhadwr yn Jamaica, a'r trydydd brawd, y Parch Glyn Jones, Blackburn - pob un ohonynt yn haeddu cofnod manwl, a dywed hyn lawer am ansawdd y cartrefi a'r capel yn Great Mersey Street yn y cyfnod rhwng y ddau Ryfel Byd.

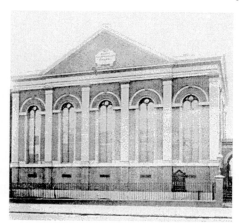

Capel Great Mersey Street

Eglwys Bresbyteraidd Cymru, Clubmoor

Ymae gwreiddiau'r achos hwn yn Arkwright Street. Talwyd am yr adeilad hwnnw gan Owen Elias (Brenin Everton, fel y'i gelwid), a sylfaenydd yr achos oedd y diwinydd, Thomas Charles Edwards, Prifathro cyntaf Coleg y Brifysgol yn Aberystwyth. Ar ôl wyth mlynedd, symudwyd i Everton Brow yn 1876, ac oddi yno wedyn i un o stadau newydd Lerpwl yn Clubmoor yn 1923. Agorwyd yr ysgoldy ar 14 Mehefin 1923, a'r capel ym mis Ebrill 1932. Yn wahanol i rai o'r eglwysi Saesneg yng nghyffiniau Lerpwl (e.e. Hoylake a Moreton), ni fu Capel Clubmoor erioed yn niferus ei aelodaeth. Bu dyddiau anodd yn ei hanes, ac eto bu'n rhan annatod o'r gymdeithas o'i amgylch o'r cychwyn, gydag ysgol Sul, dosbarth Beiblaidd a gweithgarwch ar gyfer y chwiorydd, y plant a'r ieuenctid. Gwasanaethwyd yr achos gan y Parch T. M. Charles (1923-1926), a ddaeth o Everton Brow; y Parch Edgar Badham (1926-1952); y Parch Glanville Morgan (1954-1959), a'r Parch David J. Goodfellow o Fryn Mawr (1959-1969). Yn ystod gweinidogaeth yr olaf yr etholwyd blaenoriaid am y tro cyntaf, a hynny yn 1963. Un ohonynt oedd David Evans.

Bedyddiwyd ef yn yr eglwys a bu'n weithgar yn yr ysgol Sul ac yng ngwaith yr ifanc. Penderfynodd ei gyflwyno'i hun i'r weinidogaeth ac fe'i hordeiniwyd yn 1990 i ofalu am Clubmoor ac Orrell. Felly y bu yn hanes y Parch David Broster

Bedd Owen Elias ym mynwent Anfield

Capel Clubmoor

(1978-1983). Ac ar ei ôl cafwyd gweinidogaeth y Parch Jonathan Sleigh (1984-1987) a'r Parch Adrian Pratt (1988-1990). Yn y saithdegau cafwyd Cymro Cymraeg, y Parch Elwyn Jones (1970-1977), cyn iddo ymadael am Ogledd Iwerddon. Ers gweinidogaeth y Parch D. Broster, bu'r eglwys yn rhan o ofalaeth gydag Eglwys Springwell Road, Orrell.

Eglwys Bresbyteraidd Cymru, Edge Lane

Agorwyd y capel hwn ym mis Hydref 1900 i gartrefi tua saith gant o bobl. Cafodd ei adeiladu ar gost o £7,146 a chafwyd y swm o £1,050 am yr adeilad blaenorol yn Holt Road lle bu Cymry'r cylch yn cyfarfod o dan ofal y Parch David Jones. Am y deng mlynedd nesaf bu'r aelodau (319 yn 1901, a 395 yn 1912) yn gweithio'n ddygn i glirio'r ddyled. Nifer fwyaf aelodau'r capel oedd 488, a hynny yn 1918. Cafodd yr eglwys arweinydd am ddwy flynedd a deugain, sef y Parch David Jones, y cyfnod hwyaf i neb yn y cylch yr adeg honno. Ymddeolodd yn 1936 a bu farw flwyddyn yn ddiweddarach. Bu'n weithgar iawn yn ystod ei oes, ac etholwyd ef yn Llywydd Cymdeithasfa'r Gogledd a hefyd y Gymanfa Gyffredinol. Bu un o'i olynwyr, y Parch W. D. Jones, a wasanaethodd yng Nghapel Edge Lane am chwarter canrif (1949-1974) hefyd yn Llywydd y Gymanfa Gyffredinol. Nodweddid y capel gan safon ei ganiadaeth, yn arbennig yng nghyfnod y Dr. T. Hopkin Evans, a oedd yn byw gerllaw yn Edge Lane, a hefyd Morris Eddie Evans (1890-1984), cyfansoddwr tonau cynulleidfaol. Cafodd ei dôn fwyaf poblogaidd, 'Pantyfedwen', wobr o £300 yn Eisteddfod Llanbedr Pont Steffan yn 1968. Unodd Edge Lane â dau gapel arall i ffurfio Eglwys Bethel, a gwerthwyd yr adeiladau hwylus i'r gymuned Indiaidd. Bellach y mae'n ganolfan Hindŵaidd.

David Jones

E. Emrys Jones

Capel Presbyteraidd Edge Lane

Eglwys Bresbyteraidd Cymru, Hoylake

Gweledigaeth dau ŵr cefnog, marsiandïwyr yn y diwydiant cotwm yn Lerpwl, yw'r achos yn Hoylake. Perthynai John Rew i Eglwys Bresbyteraidd yr Alban, tra oedd Eliezer Pugh yn flaenor yng Nghapel Chatham Street. Treuliai'r

E. Emrys Jones

Capel Presbyteraidd Cymru Hoylake

ddau a'u teuluoedd eu gwyliau yn Hoylake. Cychwynnodd Eliezer Pugh gyfarfodydd yn Gymraeg ar gyfer y Cymry oedd yn adeiladu'r rheilffordd o Benbedw i Hoylake, a phan orffennodd y dasg o adeiladu'r rheilffordd fe benderfynodd

Eliezer Pugh, blaenor yng Nghapel Chatham Street ac un o Gymry mwyaf cyfoethog y Glannau

gynnal cyfarfodydd mewn bwthyn yn Ffordd Alderley. Trwy ddycnwch Eliezer Pugh cychwynnwyd eglwys yn 1869 gyda phedwar ar hugain o aelodau. Gosodwyd carreg sylfaen y capel ar ddydd Gwener y Groglith 1872, ac yn 1911 adeiladwyd y capel presennol o amgylch muriau'r adeilad blaenorol. Bendithiwyd yr eglwys o'r cychwyn â gweinidogion a roddodd flynyddoedd o wasanaeth i Eglwys Alderley Road. Bu'r rhain yno am gyfnod hir: y Parch John Calvin Thomas, Dinbych-y-pysgod, am 22 mlynedd (1884-1906); y Parch Sydney O. Morgan (1907-1927); y Parch R. Howell Williams (1928-1940) a fu wedyn yn weinidog Eglwys Princes Road, Lerpwl; y Parch Percy F. Payne (1945-1964); y Parch J. Eric Evans (1965-1984), ac ers 1985 y gweinidog presennol, sef y Parch J. Robert Bebb, sydd wedi cwblhau deng mlynedd. Arhosodd y gweinidog cyntaf, y Parch William Evans, ond chwe blynedd (1871-1877) cyn ymfudo i Seland Newydd, a'r Parch Glyn Parry Jones ond tair blynedd (1941-1944). Eithriadau oedd y rhain; gweinidogaeth hir a ffrwythlon yw'r arfer.

Eglwys Bresbyteraidd Cymru, Moreton

Pentre cysglyd heb drafnidiaeth gyhoeddus oedd Moreton yn 1905 pan ddaeth gweinidog Hoylake, y Parch J. Calvin Thomas, yno i gychwyn cenhadaeth mewn ystafell yng nghefn gwesty'r Plough. Penllanw'r cyfan oedd i'r genhadaeth lwyddo ac i'r egin dyfu. Prynwyd tir am £220, ac adeiladwyd capel ar gost o £478. Yr adeilad hwn bellach yw'r ysgoldy. Agorwyd y capel ar 5 Mehefin 1906 gan Mrs W. H. Lever (yn ddiweddarach y Fonesig Leverhulme). Llwyddodd yr achos i ddenu Lewis Powell, gŵr ifanc oedd yn drefnydd a phregethwr heb ei ail. Ar derfyn y Rhyfel Byd Cyntaf gwelwyd adeiladu mawr ym Moreton, ac oherwydd y cynnydd yn y boblogaeth penderfynwyd adeiladu capel newydd. Gwelir hyn yn y llun. Agorwyd ef yn 1926. Pregethwr lleyg oedd Lewis Powell hyd ei ordeinio yn 1915, a gwnaeth yr eglwys yn ganolfan i'w weithgarwch cymdeithasol. Bu farw ar 2 Mawrth 1936 wedi 30 mlynedd o wasanaeth nodedig. Y mae'r gweinidog presennol, y Parch B. J. Redmore (Llywydd Cymdeithasfa'r Dwyrain 1995-1996), bellach

wedi cyrraedd y record honno. Daeth ef i Moreton yn 1966 ac y mae yntau wedi rhoi'r un math o arweiniad ag a roddodd Lewis Powell. Deil yr aelodaeth yn 255. Rhwng Lewis Powell a B. J. Redmore cafwyd y Parch H. Arfon Pryce (1936-1950); y Parch Alun Lewis (1950-1958), a'r Parch W. O. Jones (1958-1965), a dderbyniodd alwad i fod yn gaplan yn y fyddin. Mae'r eglwys wedi magu nifer o fechgyn ieuainc i'r weinidogaeth Gristnogol yn ystod y blynyddoedd diwethaf hyn, ac mae hynny ynddo'i hun yn dweud llawer am ansawdd bywyd ysbrydol y gymuned Bresbyteraidd.

Y Parch Barrie J Redmore

Eglwys Bresbyteraidd Moreton

Eglwys Bresbyteraidd Cymru Sant Ioan, Runcorn

Ymae'r achos hwn fel un Cymraeg yn mynd yn ôl i ddechrau'r bedwaredd ganrif ar bymtheg. Cymerwyd Capel St John's Street yn 1849, capel a adeiladwyd yn 1818 ar gyfer enwad y Fonesig Huntingdon. Adnewyddwyd yr adeilad yn 1872, ond yna gwerthwyd y cyfan yn 1893, gan brynu tir yn Ffordd Fictoria. Adeiladwyd ysgoldy yno a bu hwnnw'n ganolfan am gyfnod. Adeiladwyd y capel presennol yn Ffordd Fictoria yn ystod gweinidogaeth y Parch T. Sidney

Y diweddar Barchedig Peter Williams yn derbyn llun o'r capel Cymraeg o law y blaenor ffyddlon, William Rees Jones

Morris, gŵr a wasanaethodd y ddiadell am 35 o flynyddoedd, o 1897 i 1932. Agorwyd y capel presennol gan y Parch Ddr John Watson, gweinidog Eglwys Bresbyteraidd Sefton Park, Lerpwl, ar 4 Mai 1905. Roedd ef yn un o wŷr amlycaf y pulpud ac yn nofelydd

poblogaidd. Mae'n ddiddorol nodi bod ymhlith gweinidogion yr eglwys ddau gyn-genhadwr, sef y Parch David Edwards (1939-1943) a'r Parch William Morgan (1957-1968). Yn ystod cyfnod yr olaf gweithredwyd stiwardiaeth Gristnogol. Dilynwyd ef gan y Parch Norman Peter Williams (a fu farw ar ddydd Nadolig 1995 yn Llanidloes), un a fu'n fugail gofalus, ffrind i'r ifanc ac eciwmenydd brwd yn Runcorn New Town. Daeth ef yno yn 1968, gan ymddeol yn 1991. Rhoddwyd galwad i'r Parch Robert Goodson, myfyriwr o'r coleg, ym Mehefin 1993, a'r flwyddyn ddilynol (Mai 1994) cafwyd dathliadau i nodi'r ffaith fod pobl wedi bod yn addoli yn yr un fangre am gan mlynedd. Yn hanes Capel St John's rhaid nodi gweddill y bugeiliaid o'r cychwyn: y Parch Ddr William Roberts (1849-1855); y Parch John Davies o Kentchester (1856-1859); y Parch William Evans (1862-1865); y Parch Evan Williams (1867-1887); y Parch J. Pulford Williams (1890-1893); y Parch Ivor Platt, cynnyrch capeli Webster Road a Heathfield Road, Lerpwl (1934-1939); y Parch Ogwen Glyn Jones (1944-1947), a'r Parch J. Mervyn Butler-Jones (1948-1958). Dywed y gofeb a osodwyd yn yr ysgoldy ar 22 Mai 1994 y cyfan: *1894-1994 by the grace of God 100 years on this site.*

E. Emrys Jones

Eglwys Gymraeg Runcorn

Dyma yn ddi-ddadl yr adeilad hynaf o eiddo'r Cymry ar lannau'r Mersi. Adeiladwyd y capel Cymraeg cyntaf yn Runcorn yn 1829, a'r ail yw'r un a welir yn y llun, a adeiladwyd yn Stryd Rutland yn 1856. Pobl y môr oedd yr arloeswyr cynnar, a gwelid y capel yn llawn yn aml pan ddeuai'r llongau i borthladd Runcorn. Ni fu gan yr un achos erioed aelodaeth fawr; yn ôl y gweinidog cyntaf, y Parch John Jones, mab Edward Jones, yr emynydd o Faesyplwm yn Nyffryn Clwyd, yr oedd 26 ar lyfrau'r capel yn 1843. 40 o aelodau oedd yno yn 1873, 27 yn 1930, ac erbyn 1995 mae 19 o aelodau. Y gweinidog fu hwyaf yng ngofal yr achos oedd y Parch J. H. Hughes, Rhiwlas. Daeth yno yn 1894 ac arhosodd am 21 mlynedd cyn symud i Ellesmere Port yn 1915. Y mae'r capel yn Runcorn yn gapel croesawgar, ac mae yna gefnogaeth dda i'r holl gyfarfodydd. Uchafbwynt y gweithgareddau yw'r gymanfa ganu a gynhelir yn nechrau mis Mai bob blwyddyn, pryd y ceir arweinydd o fri a chanu gorfoleddus. Erbyn hyn daw Cymry i'r capel ar gyfer oedfa prynhawn Sul ac ambell gyfarfod arall o gylch ehangach na Runcorn yn unig - o Widnes, St Helens Junction a Newton-le-Willows.

E. Emrys Jones

Eglwys Gymraeg Runcorn

Eglwys Yr Annibynwyr Salem, Hawthorn Road, Bootle

Byr fu hanes y ddiadell hon. Pan benderfynodd Corfforaeth Bootle ganiatáu codi adeiladau'r llywodraeth, sylweddolwyd fod Capel Merton Road yn rhan o gynllun ailddatblygu canol y dref. Penderfynwyd ar ddau beth: ildio'r capel i'r awdurdod lleol yn ddioed, a cheisio llety hyd nes y byddai capel newydd yn barod. Cafwyd cartref am ddwy flynedd yng Nghapel y Bedyddwyr, Balliol Road, ac ar brynhawn Sadwrn, 27 Medi 1969, agorwyd y capel newydd, a gynlluniwyd gan Ronald E. Cookson a J.G. Lawrence Gibbs. Yn yr wythdegau daeth cynulleidfa Balliol Road i gydaddoli yn Salem, ond gydag ymadawiad rhai o'r swyddogion, yn bennaf trwy farwolaeth, bu'n rhaid datgorffori yn 1993. Bellach defnyddir yr adeilad fel ysgol feithrin.

E. Emrys Jones

Eglwys Salem, Hawthorn Road

Eglwys Woodchurch Road, Penbedw

Yr un flwyddyn ag yr agorwyd Laird Street, agorwyd achos arall gan y Presbyteriaid yn Woodchurch Road, yn y rhan honno o'r dref a elwir Higher Tranmere. phob gweinidog arall gopi ohoni trwy haelioni'r gŵr bonheddig annwyl R. T. Jones. Symbylodd Eglwys Woodchurch Road gychwyn eglwys Gymraeg newydd yn Heswall, ond

E. Emrys Jones

Eglwys Woodchurch Road, Penbedw

Ymhlith arweinwyr cynharaf yr achos yn 1906 yr oedd J. H. Jones, golygydd *Y Brython*, gŵr a'i galwai ei hun yn Je Aitsh ac a fu cyn hynny yn swyddog yn Eglwys Parkfield ac yn ddiweddarach yn Laird Street. Bu'r eglwys hon yn hynod o weithgar, a magodd do o weinidogion: H Llywelyn Hughes, Owen Tudor Hughes, Maldwyn Davies a J. D. Hughes yn y dauddegau a'r tridegau. Casglwyd hanes y capel a'i weithgareddau ynghyd mewn cyfrol gan Jennie Thomas, cyfrol y cefais i a

byr fu hanes honno. Bu Woodchurch Road heb weinidog am gyfnodau, ond cafwyd gweinidogaeth gref yn y cyfnod wedi'r Ail Ryfel Byd, yn enwedig gan y Parchedigion Aneurin O. Edwards a G. Tudor Owen. Dywedid yn y tridegau amdani, 'yr oedd cynulleidfa bore Sul yn weddol a cheid cynulleidfa dda yn yr hwyr, a hynny am fod cyfran dda o'r eglwys o'r cychwyn yn chwiorydd ifainc mewn gwasanaeth'. Pan giliodd y dosbarth hwnnw, edwinodd yr achos.

Eglwys Bresbyteraidd Cymru, Laird Street, Penbedw

Saif y capel hwn mewn man cyfleus i Gymry Penbedw a'r cyffiniau, ac mae'n adeilad hwylus dros ben hefyd. Mae'n perthyn i'r ugeinfed ganrif, a nodir Ebrill 1906 fel dyddiad agor y capel. Cynhaliwyd yr oedfaon cyntaf yn y capel newydd ar y 5ed a'r 6ed o Ebrill. Yn 1908, ddwy flynedd wedi agor y capel, adeiladwyd ysgoldy ac ystafelloedd eraill ar gost o £500. Costiodd £1,400 i godi'r capel, felly roedd y cyfanswm yn £1,900. Ond yr oedd Laird Street yn ffodus fod un o adeiladwyr pennaf Penbedw, David Evans, Cynlais, yn llawn brwdfrydedd dros yr achos newydd. Etholwyd ef yn flaenor yn 1905 a bu'n hael dros ben i'r achos. Yn 1919 cyflwynodd dŷ helaeth, rhif 4 Laird Street, yn rhodd i'r eglwys i fod yn fans, ar yr amod ei bod yn clirio'r ddyled o £500. Helaethwyd y capel yn 1920 i ddal pedwar ugain arall. Yr oedd y capel yn rhy fach! Heddiw gelwir yr eglwys yn Salem, gan iddi groesawu yn y chwedegau aelodau o ddwy eglwys arall yn y dref, Parkfield a Woodchurch Road, a ddaeth i ben fel canolfannau'r Cymry. Deil y Gymdeithas Gymraeg lewyrchus i gyfarfod bob nos Lun yn yr ysgoldy yn ystod tymhorau'r hydref a'r gaeaf.

Eglwys Laird Street, Penbedw

E. Emrys Jones

Eglwys Bresbyteraidd Cymru, Newsham Park

Agorwyd y cysegr a elwid Newsham Park ar nos Wener, 22 Chwefror 1884, a hynny ar gyfer y gynulleidfa a addolai yn Lombard Street. Roedd y capel hwnnw wedi profi'n rhy fach, a theimlid yr angen i adeiladu capel

Eglwys Newsham Park

capel ar ffurf croes, gyda galeri yn y pen draw, ar gyfer cynulleidfa o 600. Yr oeddynt yn afradlon o optimistaidd, gan mai dim ond 235 o aelodau oedd gan Gapel Lombard Street yn 1883, a hyd yn oed yn 1897, pan estynnwyd galwad i'r Parch R. Aethwy Jones, Porthaethwy, a oedd newydd orffen ei gwrs colegol yn Rhydychen, 264 oedd nifer yr aelodaeth, ac roedd yna ddyled o £1,155 ar yr adeiladau. Daeth y capel i'w adnabod fel Capel Aethwy Jones, gan iddo aros yno ar hyd ei weinidogaeth. Meddai ar ddoniau niferus. Gwerthwyd y capel i eglwys efengylaidd ar ei ddatgorffori.

Y Parch R. Aethwy Jones, B.A.

mwy. A dyna ddigwyddodd, yn bennaf oherwydd i Thomas Jones, Breck House, ganiatáu iddynt brynu darn o dir mewn mangre hwylus o fewn tafliad carreg i ddau barc, sef Sheil a Newsham. Yn wir, saif yr adeilad yn y stryd a elwir Sheil Road. Richard Owen oedd y cynllunydd, a chafod hwyl dda arni. Cynlluniwyd y

Mynwent Anfield, man gorffwys y Parch R. Aethwy Jones, ei wraig Gladys Margaret Jones (1873-1939), merch y Parch Griffith Ellis, a'u mab ifanc

Canterbury Street, Garston

Ymae Garston wedi ei rannu'n ddau ac fe geid teuluoedd o Gymry yn y ddwy ran. Ar ôl mynd dan y bont, fe welwn strydoedd a chapeli ac eglwysi a berthynent i'r ardal o amgylch y dociau. Un o'r strydoedd lle ceid canolfan i'r Cymry oedd Canterbury Street. Adeiladwyd ystafell genhadol yn y stryd yn 1888 o dan nawdd Capel (M. C.) Garston, adeilad sydd bellach wedi diflannu. Cynhelid ysgol Sul a chyfarfodydd y plant yn yr ystafell hon, a byddai'r ysgoldy'n cymryd rhan yn Eisteddfod Blodau'r Oes.

E. Emrys Jones

Canterbury Street yn 1996

Yr Arloeswyr yn Lerpwl

Gwelir y maen hwn o flaen Capel y Berthen, Licswm. Fe'i codwyd trwy haelioni Henaduriaeth sir Fflint a Lerpwl yn 1923 i goffáu arloeswyr y Methodistiaid Calfinaidd Cymraeg. Yn eu plith gwelir enw William Llwyd (1734-1810). Ef fu'n gyfrifol am alw ynghyd i'w gartref yn Pitt Street, Lerpwl, yn 1782, nifer o Gymry i ddechrau achos yn yr iaith Gymraeg. Ef oedd yr arloeswr - gŵr dwys, crefyddol ei fryd, ac yn awyddus i grefydda yn Gymraeg. Daeth i Lerpwl o Licswm yn 1781 a mynychodd gapel Wesleaid Saesneg a safai o fewn tafliad carreg i'w gartref newydd. Ond mae'n amhosibl bron i Gymro Cymraeg deimlo'n gartrefol wrth addoli yn Saesneg o Sul i Sul, ac felly y teimlai William Llwyd ac eraill o'r bobl ieuainc a drigai yn Lerpwl yn y flwyddyn 1782. Gwahoddodd ef hwy i'w gartref i weddïo. Daeth nifer ynghyd, a dyna'r gwasanaeth cyntaf a gynhaliwyd gan y Cymry yn Lerpwl, a hynny yn Pitt Street mewn tŷ o eiddo gweithiwr cyffredin. Yr oedd y tŷ wedi diflannu erbyn Nadolig 1868 pan fu Robert Herbert Williams (Corfanydd) yn chwilio am y cartref. Gosodwyd yr arloeswyr i orffwys ym mynwent St Paul's Square, Lerpwl, yn 1810, ac mae'r fynwent hefyd wedi diflannu bellach! Dyna ddamnedigaeth dinas fel Lerpwl; nid oes adeilad na hyd yn oed mynwent yn sacrosanct.

E. Emrys Jones

Robert Arthur Hughes *(1910-1996)*

Gŵr gwylaidd, swil ond un o Gymry mwyaf nodedig Lerpwl oedd Dr R. Arthur Hughes. Ganwyd ef yng Nghroesoswallt lle gweinidogaethai ei rieni, y Parch Howell Harris Hughes a'i briod Myfanwy Hughes. Ganwyd iddynt ar 3 Rhagfyr 1910 ddau fab, efeilliaid, a gyfrannodd yn helaeth i Eglwys Bresbyteraidd Cymru. Bu'r ddau, y Parch John Harries Hughes, Pontypridd a'r Dr R. Arthur Hughes, yn Llywyddion y Gymanfa Gyffredinol, yr anrhydedd pennaf y gellid ei roi iddynt. Ar ôl gyrfa nodedig yn Adran Feddygaeth Prifysgol Lerpwl ac Ysgol Meddygaeth Drofannol Llundain bu'n llawfeddyg/ffisegwr yn Ysbyty Royal Southern Lerpwl a Chofrestrydd Llawfeddygol a Thiwtor yn Ysbyty David Lewis Northern Lerpwl. Ymdeimlodd â'r alwad i'r maes cenhadol fel meddyg cenhadol, a hwyliodd ef a'i briod Mrs Nancy (nee Wright) o Lerpwl i India yn 1939 i weithio yn Ysbyty Meddygol Cenhadol Shillong ar Fryniau Khasia

Dr R. Arthur Hughes, OBE, FRCS fel Llywydd y Gymanfa Gyffredinol (1992-93)

yng ngogledd-ddwyrain India. Cyflwynodd genhadaeth arbennig, ac nid rhyfedd iddo gael ei alw yn Schweitzer Cymru. Ar ôl deng mlynedd ar hugain yno daeth ef a'i briod yn ôl o India a chartrefu yn Allerton, Lerpwl.

Gwasanaethodd fel Is-ddeon Academaidd Cyfadran Feddygaeth Prifysgol Lerpwl o 1969 hyd ei ymddeoliad yn 1976. Bu'n amlwg ym mywyd Cymry Lerpwl; etholwyd ef yn flaenor yn Eglwys Bethel, Heathfield Road yn 1971, bu'n Llywydd Henaduriaeth Lerpwl, ac yn aelod o'i phwyllgorau. Fel y gellid disgwyl bu'n Llywydd Pwyllgor Cenhadol yr Henaduriaeth ers ei ymddeoliad o Brifysgol Lerpwl, a bu'n yn ysgogydd i'n holl weithgareddau Presbyteraidd. Roedd yn hoff iawn o wrando ar gerddoriaeth a bu'n Is-lywydd Undeb Corawl Cymraeg Lerpwl. Bu farw yn Lerpwl ar fore Sadwrn, 1 Mehefin 1996, a bu'r arwyl yn Eglwys Bresbyteraidd Cymru Heathfield Road, Lerpwl ac Amlosgfa Springwood ar ddydd Llun, 10 Mehefin.

Nodyn Bywgraffyddol

Ymae cryn dipyn o ddeunydd ar gael ar y Glannau yn Gymraeg, a dyma'r llenydd-iaeth fwyaf perthnasol:

1) Davies, Joseph: *Bedyddwyr Birkenhead: Hanes Eglwys y Bedyddwyr Cymreig yn Birkenhead o'i sefydliad yn 1839 hyd y flwyddyn 1907, gyda byr hanes yr achos yn Seacombe* (Llangollen, W Williams 1908). 192t.

2) Davies, Joseph: *Bedyddwyr Cymreig Glannau'r Mersi, sef hanes dechreuad a thwf eglwysi Bedyddwyr Llynlleifiad a rhai sefydliadau perthnasol iddynt* (Lerpwl, Hugh Evans, 1927), X, 238t.

3) Ellis, Bryn: 'William Williams (1839-1915) Arloeswr o Fôn' *Transactions of the Anglesey Antiquarian Society* (1971-72), 111-29.

4) Jones, Emyr Wyn: 'Richard Williams Birkenhead a'i gyd-arloeswyr' *National Library of Wales Journal* 12 (1961-1962), 370-378.

5) Jones, Gwilyn Meredydd: 'Cymdeithas Gymraeg Lerpwl' *Taliesin* 49 (1984), 69-73.

6) Jones, John Edward: *Antur a menter Cymry Lerpwl: Hanes eglwysi Presbyteraidd Cymraeg Webster Road, Heathfield Road a Bethel o 1887 hyd 1987* (Lerpwl, Cyhoeddiadau Modern Cymreig Cyf, 1987), t11, 56t.

7) Jones, Richard Merfyn a D. Ben Rees, *Cymry Lerpwl a'u crefydd: Dwy ganrif o Fethodistiaeth Calfinaidd Cymraeg* (Lerpwl, Cyhoeddiadau Modern Cymreig Cyf, 1984), 70t.

8) Morris, John Hughes: *Hanes Methodistiaeth Liverpool.* Dwy gyfrol (Lerpwl, Hugh Evans dros gyfarfod misol Liverpool 1929-1932).

9) Rees, D. Ben: 'Carmel yn Ashton-in-Makerfield' *Taliesin* 41 (1980), 138-141.

10) Rees, D. Ben: 'John Thomas, Lerpwl (1821-92)' yn *Dal i Herio'r Byd* (gol. D. Ben Rees) (Lerpwl a Llanddewibrefi, 1988), 34-41.

11) Rees, D. Ben: *Pregethwr y bobl: Bywyd a gwaith Dr Owen Thomas* (Lerpwl a Phontypridd, 1979), 333t.

12) Rees, D. Ben: 'Cymry Lerpwl'
yn *Cydymaith i Lenyddiaeth
Cymru* (gol. Meic Stephens)
(Caerdydd, Gwasg Prifysgol
Cymru, 1986),118.

13) Rees, Meinwen: 'William Rees
(Gwilym Hiraethog); 1802-83' yn
Dal i Herio'r Byd (gol. D. Ben
Rees) (Lerpwl a Llanddewibrefi,
1988), 21-27.

14) Roberts, Hugh Pierce: 'Y
Pedwar enwad yn Lerpwl: Trem
ar eu hanes' *Y Traethodydd*
(1940), 190-96.

15) Roberts, Owen Elias: 'Pedr
Fardd yn Lerpwl' *Cylchgrawn
Cymdeithas Hanes y Methodistiaid
Calfinaidd* 59 (1974), 36-56.

Dylid hefyd edrych ar y rhestr o
lyfrau a gyhoeddwyd yn Lerpwl
rhwng 1767-1908 yn erthygl William
Williams ac Idwal Lewis 'Liverpool
Books' yn *Journal of the Welsh
Bibliographical Society* (1950-1953),
94-113.